JN078816

マスコミが報じない"公然の秘密"

大村大次郎
OHJIRO OHMURA

はじめに
～ジャニーズ問題どころじゃない！～

2023年の芸能界はジャニーズの性加害問題に揺れました。いや、芸能界だけではなく、社会問題といっていいほど、この問題は大きくクローズアップされました。が、ここにきてジャニーズ問題がクローズアップされることに、違和感を持った人も多いはずです。

ジャニーズ事務所のジャニー喜多川氏が所属の少年たちに性加害をしているというのは、30年以上も前から暴露本が出され、関連の裁判なども行われ、「限りなく黒」という判断が出されていたものです。

にもかかわらず、この情報は一部の週刊誌や書籍が報じるのみであり、新聞、テレビなどで取り上げられることはほとんどありませんでした。

30年以上の長きにわたって、これほどの犯罪が「公然の秘密」とされてきたのです。

ジャニーズ事務所のタレントは人気があり、テレビに引っ張りだこなので、各テレビ局はジャニーズ事務所を悪く言うようなことは報道できない、ということになっていました。また各テレビ局は親会社が大手新聞社となっており、大手新聞社もその兼ね合いから、ジャニーズ事務所の問題については、触れてこなかったのです。

つまりは、大手新聞社、テレビ局の利害関係により、これほど大きな社会問題が、30年以上にわたり、黙殺されてきたのです。

実は日本の大手マスコミというのは、利権の塊でもあります。

現在、地上波のテレビ局というのは、事実上、新規参入ができません。テレビ放送を行うには総務省の免許が必要で、地上波のキー局にこれ以上免許を出すことはないからです。テレビ業界というのは完全な既得権業界なのです。

そして全国紙という国全体を網羅する新聞というのは世界的に珍しいものです。しかも、ご存知のように、日本の大手新聞社はいずれも地上波のテレビ局を持っています。これも世界では珍しいことです。新聞社がテレビ局を保有してしまうと、あまりにメディアにおける影響力が強くなってしまうので、新聞社がテレビ局を持つのを禁止している国もあるほどです。

しかし日本にはそういう規制はなく、まるで当たり前のようにすべての大手新聞社が全国に系列のテレビ局網を敷いています。

その結果、

「新聞、テレビは同じことしか報じない」

「新聞、テレビは双方の利益に縛られて、自由に報道ができない」

「政府の都合の悪い情報は、新聞やテレビでは流れない」

という状況が生まれているのです。

また新聞業界には、「記者クラブ」というものがあります。

これは官庁などに報道機関専用室のようなものが設けられ、メンバーだけが独占的に取材を行えるというものです。この記者クラブは、各官庁、都道府県など800カ所に及びます。

そんな記者クラブに入れるのは既存の新聞社等に限られます。だから、記者クラブにも新規参入がなかなかできないのです。先進国でメディアにこのような閉鎖的な団体があるのは、日本だけです。

新聞業界はこの利権があるために、政府の都合の悪いことをなかなか報じなくなっています。そして、当然のようにテレビもそれに追随しているのです。

日本は「報道の自由度」の世界ランキングが68位と、先進国ではありえないほど低くなっています。ほかの先進国や、韓国だけではなく、チェコやスロバキアなどの旧共産圏国家、激しい人種差別があった南アフリカなどよりも、報道の自由度が低いと判定されているのです。


それは日本の大手メディアが、利権でがんじがらめになっているからでもあるのです。

大変な社会問題を新聞やテレビがあまり報じないというのは、実はジャニーズ問題に限ったことではありません。

日本にはジャニーズ問題に匹敵するような、いや、ジャニーズ問題をはるかに超えるような大きな社会問題が、まったく報じられていないということが多々あるのです。


ところで筆者は元国税調査官です。国税調査官というのは、社会のあらゆることについて、お金の面から調べるという仕事です。お金の面から見れば社会の裏は非常に良く見えるものです。社会における忖度や隠蔽は、利権が絡んでいることがほとんどだからです。

筆者が知りえた、そういう〝社会の秘密〟を暴露しようというのが、本書の趣旨です。

読むと嫌な気分になることばかりが書かれていると思いますが、国民としてはこれを知っておかないと、まずいと思われます。

マスコミが報じない〝公然の秘密〟目次

第九章 甚大なコロナワクチン被害を隠蔽 189

第一章

維新と吉本興業の怪しい関係

大阪の医療崩壊は人災だった

新型コロナ禍真っただ中の2021年秋に行われた総選挙で、大きく議席を伸ばしたのは日本維新の会でした。

このことについて、違和感を持った人も多いのではないでしょうか?

当時、維新の会の本拠地ともいえる大阪では、新型コロナで医療崩壊を起こし、日本で最悪の被害を出していました。

人口当たりの新型コロナの死者は全国で最悪でした。2021年12月の時点で、人口100万人当たりの死者は300人を大きく超えており、東京より100人以上も多く、都道府県平均の2倍となっています。

しかも2021年5月1日時点では、7日間の人口当たりの死者数が、インドやメキシコよりも多くなっていました。大阪は「世界でもっとも新型コロナの死者が多い地域」となったのです。

新型コロナが5類感染症に引き下げられた2023年5月時点でも、日本で人口当たりの新型コロナ死者がもっとも多かった都道府県は大阪で、100万人当たり974人です。東京都は579人なので、大阪はなんと東京よりも68％もコロナ死者の割合が高いのです。全国平均と比べても、63％も高くなっています。

感染症対策において、もっとも重要なことは「死者を出さないこと」です。それを考えたとき、大阪はもっとも新型コロナ対策に失敗しているということがいえるはずです。また大阪は医療を受けられないままに死亡した人の数も日本で最悪でした。日本でもっとも医療崩壊が激しかった地域だといえます。

大阪は初期の段階から最後まで、ずっと日本で最悪の被害を出していたのです。つまり、ほかの都道府県に比べて大阪は新型コロナの3年間、まったく進歩がなかったのです。にもかかわらず、この大阪の惨状について、新聞、テレビの大手メディアはほとんど取り上げません。むしろ、テレビでは「吉村知事はよくやっている」というような賛辞すら送る始末です。

しかも維新の会は、所属議員や幹部たちが数々の不祥事を起こしています。特に愛知のリコール不正事件では、維新の会の元幹部が中心的な役割を果たしています。

こういう状態なのに、維新の会は選挙で大躍進したのです。

ここには、「日本の闇」「メディアの大罪」が凝縮されているのです。

なぜ維新の責任は問われない？

なぜ、これほど大阪ではコロナ死者が多かったのでしょうか？

はっきり言うと、橋下徹氏や「日本維新の会」の責任が大きいのです。

２００８年に橋下徹氏が知事になってから、大阪府や大阪市は、

「行政の無駄を省く」

という号令のもと、急激に公立病院を減らしました。

市立病院を独立法人化したり、府立病院に統合したりして、大幅に病院施設の削減を図りました。もちろん、人員も大幅に削られることになります。

総務省の統計によると、２００７年の大阪府の公立病院には医者と看護師は８７８５人いましたが、２０１９年には半分以下の４３６０人になっているのです。

ざっくり言えば、大阪の公立病院の「医療力」は、橋下氏と維新のために半減させられたと言えるでしょう。

この医者と看護師の数を半分以下にしたことが、新型コロナでの大阪の死者数の激増の最大の要因だといえるのです。

また維新は、赤十字病院や済生会病院など、慈善事業系の病院の補助金も大幅にカットしました。赤十字病院や済生会病院は、その地域の救急医療や感染症医療も担っていましたので、これも新型コロナの被害が拡大する要因となりました。

新型コロナの第５波のとき大阪は、

「新型コロナ対策の医療関係者が不足している」

として、自衛隊や近隣府県から看護師を派遣してもらったりしていますが、何のことはない、自らが医療関係者の数を減らしてきていたのです。

公立病院や慈善系の病院は、感染症や救急医療などにおいて中枢を担うものです。公立病院や慈善系の病院の戦力がダウンすれば、それはそのまま感染症対策や救急医療の低下につながるのです。

公立病院は感染症対策の砦

新型コロナの前半期、日本はよくわかっていない要因により欧米よりも桁違いに感染者が少なかったにもかかわらず、新型コロナで何度も医療崩壊の危機に瀕しました。

その最大の原因は、日本には公立病院が少なく、民間病院が異常に多いからです。図1が先進諸国の公立病院と民間病院の病床数の内訳です。

このように、日本は民間病院の比率が、先進諸国に比べて異常に高いのですが、中でも大阪は、特にこの比率が高いのです。

民間病院は、利益を出すことを優先しますので、金のかかることはしません。集中治療室（ＩＣＵ）を設置しているところも少ないですし、感染症や救急治療の受け入れ態勢も整っていません。

だから世界中のほとんどの国で、集中治療室や感染症、救急治療などは、公立病院が大半を担っているのです。

図1

諸外国における医療提供体制について

	公立病院（非営利病院含む）	民間病院
日本	約20%	約80%
アメリカ	約75%	約25%
イギリス	大　半	一部のみ
フランス	約67%	33%
ドイツ	約66%	約34%

「諸外国における医療提供体制について」厚生労働省サイトより

しかし、日本では公立病院の数が異常に少ないので、集中治療室や感染症病床も少なく、必然的に、わずかな患者で医療崩壊を招いてしまうのです。この日本医療の悪しき流れの先頭に立っているのが大阪なのです。

日本の公立病院の割合は約20％ですが、大阪は約10％です。つまり、大阪は公立病院の割合が全国平均の約半分しかないのです。

大阪の公立医療は、日本で最弱といえるでしょう。

そして、大阪の公立医療を日本で最弱のものにしたのは、橋下氏と維新の「公立医療削減政策」なのです。

橋下徹氏の無責任なコメント

橋下氏や維新というのは、医療行政に関して無責任この上ないのです。

思い起こしてください。

橋下氏は、新型コロナが流行しはじめたとき、

「やみくもにＰＣＲ検査をしてもダメ」

ということを盛んに述べていました。

しかし、感染症を防ぐためには、「感染者をできるだけ早く特定し、隔離すること」は基本中の基本です。日本は人口当たりのＰＣＲ検査が世界で１００何番目という状態がずっと続いていました。これは絶対におかしいことであり、日本政府の重大な落ち度です。

そして、できるだけ早くこの状況を改善しなくてはならなかったのです。

そんな中、橋下氏はテレビで「ＰＣＲ検査を拡充することは、有効な対策ではない」ということをしきりに吹聴していたのです。

しかも、しかも、です。

２０２０年４月、橋下氏は自分がちょっと体調を崩したときには、真っ先にＰＣＲ検査を受けているのです。当時は相当に症状が重い人でも、なかなかＰＣＲ検査は受けられないような状況が続いていました。そのもっともＰＣＲ検査が受けにくい時期に、橋下氏は受けているのです。

こんな無責任なことって、あるでしょうか？

橋下氏と維新は、大阪の医療を崩壊させた最大の戦犯のはずです。彼らに対して、メディアはもっときちんと批判すべきでしょう。

大阪の公立病院の医者や看護師が、維新の政策により半減させられているのは、見誤りようのない事実なのです。そして、公立病院の医師と看護師の少なさが、「病院に行くこともできずに死亡する人」を増やしている大きな要因であることも間違いのないことなのです。

橋下維新という日本の闇

それにしても、なぜ橋下氏や日本維新の会は、このような愚かな医療削減を行ってきたのでしょうか？

そこには驚くべき「未熟で雑な政治思想」があるのです。

筆者がインターネットなどで、大阪の公立病院の少なさと「維新の会の医療行政のお粗末さ」を訴えると、執拗(しつよう)に反論をする維新関係者もいました。

その反論コメントの趣旨というのは、

「橋下府政の時代、公立病院の職員は減っているが、独立行政法人となった病院の職員は増えている」

「だから、この主張はデマだ」

というようなものでした。

たとえば、大阪市会議員の飯田哲史氏です。

飯田氏は維新の会の所属議員です。彼は「維新の府政下では独立行政法人と公立病院の職員が増えている」旨のグラフを示し、汚い言葉とともに筆者のことを批判されています。飯田氏は、独立行政法人も公立病院も同様のものと解釈されているようで、独立行政法人と公立病院の違いもわからずに、市議会議員をされているようなのです。

この反論は、筆者の趣旨をまったく理解していない的外れなものでした。

確かに大阪では橋下府政から現在に至るまで、独立行政法人等の病院職員の人数は増えています。が、独立行政法人というのは、公立病院とは明らかに異なるものです。公立病院と「独立行政法人の病院」というのは、経営の根本部分がまったく違うのです。

公立病院というのは、その名の通り、国や自治体が直接運営しており、経営面に全責任を負っています。だから赤字が出るような採算の取れない医療も行うことができます。

しかし、独立行政法人というのは、基本的に経営はその法人の責任で行います。つまり自分で利益を出さなくては成り立っていかないのです。必然的に、赤字が出るような採算性のない医療は行うことができません。

感染症対策などということは、採算の取れるものではなく、なかなか公立病院以外ではできるものではありません。

また、いざ新型コロナのような深刻な感染症が生じた場合に、公立病院であれば、国や自治体の指示により、その対策を全力で行うことができます。

しかし独立行政法人は、そもそもが公から独立した存在なのですから、そう簡単に国や自治体のいうことは聞きません。特に新型コロナ患者の受け入れなどは、病院としてはリスクが大きいのです。

公立病院のように素直に従うはずはありません。

新型コロナ第5波のとき、大阪では吉村知事がいくら病院側に呼び掛けても、なかなかコロナ患者の病床は増えませんでした。

「そりゃ、当たり前だろう」

という話です。

公立病院の削減は、大阪だけではなく国全体の流れでもありました。大阪の公立病院の独立法人化も、橋下氏以前に計画されたものもあります。

しかし、橋下府政によって、その流れが急加速され、職員などが激減したことは間違いのない事実なのです。

ほかの自治体が公立病院の削減に慎重になるなかで、橋下氏や維新だけは「削減することは正義」とばかりに激しく方針を進めたのです。

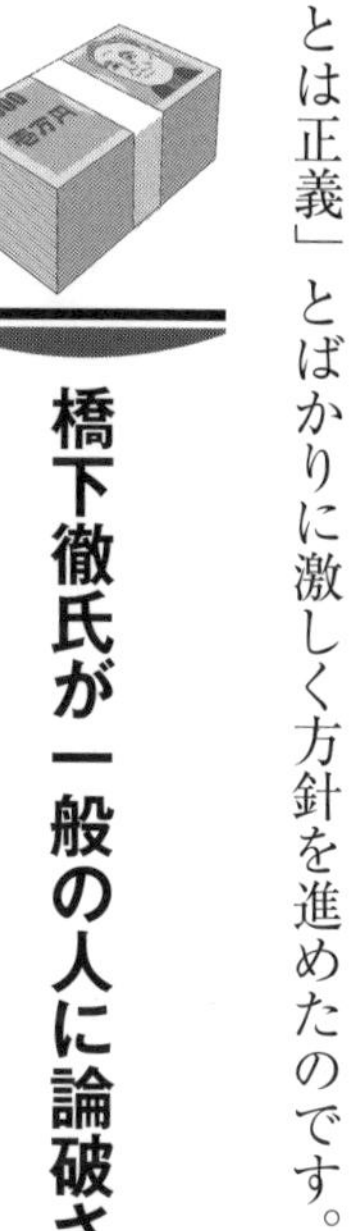

橋下徹氏が一般の人に論破され退散

筆者は「橋下維新が公立病院を独立行政法人化したことが大阪の医療崩壊を招いた」ということをネット記事に書いたりしてきました。多くの人にリポスト（旧・リツイート）していただくなど、いろいろなところで反響がありました。

が、維新の関係者と思しき人たちからの執拗な反論リポスト（旧・リツイート）などもあり、橋下徹氏自身からの反論リポスト（旧・リツイート）もありました（2021年6月4日のことです）。

橋下徹氏の反論は、筆者の記事に直接リポスト（旧・リツイート）して反論するのではなく、筆者の記事をリポスト（旧・リツイート）した一般の方に対して反論するという、かなり卑劣な手法でした。

橋下徹氏のような有名人、しかも信者を多数持っている人が、一般の人をつるし上げるようにして名指しで反論すれば、その人に信者たちから猛烈な攻撃が行われることはわかりきった話です。堀江貴文氏が餃子店を攻撃したときのように。

にもかかわらず、橋下氏は、その一般の方に対して何の配慮もなく三度に分けて執拗な反論リポスト（旧・リツイート）をしたわけです。このやり方だけを見ても、橋下氏の卑劣さがわかるというものです。

こういう自分のやり方についてどう思うのか、人として恥ずかしくないのか、橋下氏に聞いてみたいものです。この点だけでも配慮が足りなかったと謝罪するべきだと筆者は思います。

その橋下氏の反論の趣旨は、

「自分は長期的視野で病院の統廃合を進めており、間違ってはいない」

「あなたは勉強不足だ！　日経新聞で勉強しろ」

などという、上から目線の大変失礼なものでした。

が、その一般の方というのは（この方は女性のようなのですが）非常に聡明な方のようで、信者たちからの猛烈な攻撃に冷静に対処し、橋下氏に対しても理路整然と反論して強烈なカウンターパンチを喰らわせたのです。

その一般の方の反論の要旨というのは、ざっくり言えば、

「あなた（橋下氏）は足元が見えず民間でやってはならないことまで民間にさせて、日本で最悪の死者を出してしまった。あなたは常日頃から政治は結果だと言っている。この結果責任はどうするのだ？」

というものです。

一般の方の反論は、本当はもっと長く、橋下維新の政治に対して理路整然と批判を繰り広げられています。この反論に対し、橋下氏はぐうの音も出ず、そのまま退散してしまいました。

そして橋下氏のポスト（旧・ツイート）の数十倍の「いいね」が、この一般の方のポスト（旧・ツイート）についていました。橋下氏は200万以上のフォロワーを持つにもかかわらず、です。このやり取りを見ると、か弱い女性が自分の何倍もの大きな暴漢を見事に背負い投げしたような、爽快感がありました。

民主主義の根幹を揺るがす問題がまともに報じられない

また、維新に関しては、新型コロナ禍の最中に国家の根幹を揺るがすような大事件に関与しています。

その事件とは、愛知県知事のリコール不正投票事件です。

ご存じの通り、愛知県知事のリコール不正投票というのは、民主主義の根幹を揺るがす大事件です。この事件の中心となった、リコール運動の事務局長の田中孝博氏は日本維新の会の愛知5区支部長だった人物です。次期衆議院選挙では候補になると見られていました。

また維新は、このリコール運動に積極的に協力しています。

田中孝博氏は、不正投票が発覚した2020年の2月に維新に辞表を出しています。なので維新は、この不正投票にはまったく責任がないという姿勢をとり続けています。

維新の創設者であり、現在も維新の会の事実上の領袖である橋下氏は、頻繁(ひんぱん)にテレビに出ていますが、この問題にはまったく触れることなく、ほかの政治批判などを繰り広げています。

というより、この不正署名事件に関して維新との関わりをメディアはほとんど追及していません。

仮にも公党の支部長が重大な事件を起こしているのです。にもかかわらず、その公党の責任をほとんどのメディアはスルーしているのです。

「民主主義の根幹を揺るがす大事件がまともに報じられない国」

それが今の日本なのです。

日本は本当に情けない国になったと思います。

メディアを篭絡している維新の会

医療を崩壊させ、愛知のリコール不正事件では逮捕者二人を出し、ほかにもいろいろな不祥事をしまくる……維新の政治でいいことは一つもないといっていいほどです。

与党は利権にまみれ、野党は頼りない、だから第三の勢力である維新に期待をした、という人は多いはずです。が、与党よりも野党よりも、明らかに維新のほうがダメなのです。それは、大阪の医療崩壊で明白なのです。

にもかかわらず、大阪で支持率は高いのです。

それは、吉村知事や橋下氏がテレビに出まくって、自分たちがいかに立派な仕事をしているかをアピールしまくっていることが最大の要因です。いかにテレビやメディアというものの力が恐ろしいか、ということです。

メディアは、大阪のこの惨状をちゃんと正確に伝えるべきです。

実は大阪のテレビでは吉本の芸人が、吉村知事を賞賛しまくっています。これは民主主義の在り方として大きな問題があるといえます。

大阪府や大阪市は、吉本に巨額の事業委託を行っています。つまり吉本にとって、大阪府や大阪市は大口スポンサーなわけです。吉本芸人としては、会社の意向で吉村知事や維新を賞賛しなければならないのです（吉本芸人の中にも、吉村知事を公然と批判したシルク姉さんのような人もいます）。

維新は大阪府や大阪市の税金を使って吉本興業を篭絡（ろうらく）し、自分たちの広告に使っているわけであり、明らかに民主主義の仕組みを壊しているといえます。

このことについても、メディアはもっとちゃんと糾弾すべきだと思われます。

吉本興業と維新の危ない関係

維新の会が大阪に大きなダメージを与え続けているにもかかわらず、人気が高いのは、何よりもメディアの責任だといえます。

維新の会の創設者の橋下徹氏をはじめ、大阪府の吉村知事などは、テレビの出演回数が異常に多いのです。そして各テレビ局は、彼らに対して好意的な内容の放送ばかりを繰り返します。

維新を取り巻く報道状況は、異常なのです。

なぜ、このようなことになっているのでしょうか？

そもそも維新の会の創設者である橋下徹氏は、テレビタレントとして人気を博し、政界に進出した人です。

弁護士という堅い職業ながら茶髪でポップな雰囲気、いい具合に世間の意表をつく発言。彼にとってテレビタレントは天職のようなものだったのかもしれません。筆者も、テレビタレントとしては非常にクレバーで秀れた人だと思います。

その橋下徹氏からすれば、メディアをうまく利用するのはお手のモノなわけです。というより、メディアをうまく利用することでのし上がってきた人物であり、維新の会の運営においても、メディアを上手に使えるというのが最大の武器だったわけです。

維新の会は、当然のことながら、メディアを利用することに力を注ぎます。それは、橋下氏が政界を離れてからも同様です。

大阪市と吉本興業は、平成29年に「包括連携協定」を結んでいます。

この包括連携協定は、形式的には「地域の活性化に関すること」「健康・福祉に関すること」「子育て・教育に関すること」「市民活動の推進に関すること」「その他協議により必要と認められること」を大阪市と吉本興業が連携して行うということになっています。

が、実際は、大阪市の広報などに吉本興業の芸人を出演させたり、吉本興業と大阪市が共同で公演を開催したりするということなのです。

具体的に言えば、大阪市の24区にそれぞれ一組ずつの吉本芸人を配置し、区の催し物などことあるごとにその芸人を起用したり、大阪に関する創作落語の公演を行ったり、各種の広報に吉本芸人を起用したりということです。

もちろん、吉本興業の芸人にはその都度、ギャラが発生します。そのうえ、市の広報に登場することで、吉本芸人たちの「顔を売る」ということにもなります。だからギャラ以上のメリットがあり、吉本興業としてはウハウハなことです。

また吉本興業は、大阪府から万博記念公園の管理者に指定されています。2018年から10年間の契約で、大阪府は無料で万博記念公園を吉本興業に管理させているということです。

しかも大阪では、2025年に万博が予定されており、今後、万博関連で様々な催しが行われることになります。それらの催し物の多くに吉本芸人たちの出演機会があるわけで、吉本興業にとっては、今後も「美味しい状況」が続くというわけです。

維新の会の党利だけを考えた場合、吉本興業との提携は非常に賢い戦略だといえます。

また国や地方自治体が、広報活動にタレントを起用することは珍しくなく、大阪市、大阪府と吉本興業の連携は、法的な問題はありません。

しかし維新の会の党利にはなっても、国民の側に大きな害毒となっているのです。

間接的に各テレビ局と提携関係を結ぶ

吉本興業というのは、「お笑い芸人の芸能事務所」というイメージが強いのですが、実は日本で有数のメディア関連企業であり、各テレビ局と深いつながりのある企業なのです。

吉本興業の中核である「吉本興業ホールディングス」は、フジテレビが12・13%、テレビ朝日、日本テレビ、TBSがそれぞれ8・09%、テレビ東京4・04%と、在京のキー局だけで40%を超える株を持っているのです。

そして在阪のテレビ局も、朝日放送2・51%、MBS2・02%、関西テレビ、読売テレビがそれぞれ1・01%、テレビ大阪が0・4%の株を持っています。

テレビ局だけで吉本興業の50%近くの株を持っているのです。

言ってみれば、吉本興業というのは、各テレビ局の「共同子会社」のようなものです。

なので、その吉本興業と包括提携を結ぶということは、各テレビ局と間接的に包括提携を結ぶようなものなのです。

一部の政治家、一部の政党と、テレビ局が特別な関係を結ぶということは、政治に関して公平な報道ができないということです。

これは、維新側にも、テレビ局側にも、吉本側にもモラルが問われる事態です。というより、いずれのものにもモラルがない、民主主義を守る気持ちがないといえます。違法行為ではないとしても、最低限のモラルとして避けるべきなのです。

東京の番組でも吉本芸人は大活躍していますが、大阪では東京よりもずっと吉本シェアが大きいのです。大阪では、ワイドショー、情報番組などには、吉本興業のタレントが必ずと言っていいほど出演しています。

大阪府の吉村知事は、テレビ出演回数が異常に多いことで有名です。一時期などは、毎日のように、大阪の各テレビ局の情報番組をはしごしていました。現在でも、吉村知事は頻繁にテレビ出演しています。

そして大阪府民に、自信満々に自分の仕事ぶりを語ります。彼を取り巻く吉本芸人たちは、露骨に持ち上げます。

それを見た視聴者たちは、

「吉村知事はよくやっている」
「吉村知事は気さくでいい人」
ということになっているのです。

しかも、各テレビ局は、大阪が日本で最大の被害を出していることなどはほとんど報じません。その結果、維新の会の人気が爆上がりするということになっているのです。

筆者もお笑いは大好きですし、好きな吉本芸人もたくさんいます。が、それと吉本興業と維新の関係については別のことです。やはり、吉本興業と維新の関係は、日本の民主主義を脅かす危険なものであり、もっともっと批判されなければならないはずです。

みっともない朝日新聞の転向

ところで、国の批判や自民党の批判ばかりをやっている朝日新聞も、最近、維新の批判はほとんどしていません。例の愛知のリコール不正事件でも、維新との関連はほとんど報じていません。

実は、朝日新聞も維新に篭絡されているメディアの一つです。非常に情けない事情により、朝日新聞は維新側というより、朝日側に責任があります。

以前、朝日新聞は維新の会や橋下徹氏に対しては、批判的なスタンスを取っていました。朝日新聞系列の雑誌『週刊朝日』などは橋下氏を糾弾する記事を書き、裁判沙汰になったこともあります。この『週刊朝日』の記事は橋下氏の出自を愚弄するという下品な内容があったため、『週刊朝日』側の全面的な敗北となっていました。

その朝日新聞ですが、2012年ごろから維新の会に対して批判的スタンスを取らなくなったのです。

実は2012年には、朝日新聞社と維新の会は、共同プロジェクトともいえるような事業を開始しています。

維新の会の橋下氏が大阪市長になった直後の2012年6月、大阪府と大阪市の統合本部会議で、中之島が「大阪・新大阪」などとともに、重点的に開発される地域に選定されたのです。

その当時、朝日新聞社の子会社である朝日ビルディングは、中之島に「中之島フェスティバルタワー」「中之島フェスティバルタワー・ウェスト」の完成を間近に控えており、まさに渡りに船の朗報でした。「中之島フェスティバルタワー」「中之島フェスティバルタワー・ウェスト」は、老朽化した大阪朝日ビル、朝日新聞ビルを取り壊し、200メートルのツインタワーを建てるという、社運をかけたプロジェクトでした。

この朝日新聞社の「中之島プロジェクト」を、大阪府と大阪市が強力に援護したことになるわけです。以降、中之島は急速に開発され、新しい商業地域、オフィス街として大阪の新名所的な存在となっています。

橋下氏や維新の会は、朝日新聞社を支援するつもりで中之島の再開発を進めたわけではないかもしれませんが、結果的に朝日新聞社を大いに助けることになったわけです。

朝日新聞社は、東京銀座朝日ビルディングや、先にご紹介した大阪の中之島フェスティバルタワーなどを所有しています。東京銀座朝日ビルディングは、世界最高級のホテルである「ハイアットセントリック」が入っています。ハイアットセントリックは、これがアジアで初めての進出です。また中之島フェスティバルタワーには、これまた日本で最高級クラスのホテルの「コンラッド大阪」が入っています。

朝日新聞社には、これらの不動産事業の収入が、子会社からの配当金という形で入ってきます。現在、朝日新聞社の利益の約半分は、これらの子会社からの配当によるものとなっているのです。

朝日新聞も部数が激減しており、売上は減っています。しかし、不動産収入によって純利益は増えているのです。

また朝日新聞社の社員というのは、メディアの中でも最高峰の高給です。

朝日新聞社の社員の平均給料は、１２００万円ちょっとです。これは、日本のサラリーマンの平均の約3倍です。これらの高給は、新聞の売上だけでは到底賄(まかな)えません。不動産の収入があって初めて成り立つのです。

つまり、朝日新聞の記者たちにとっては、不動産収入は自分たちの高給を維持するための大事な武器なのです。そして不動産収入を確保するうえで、維新の会は大事な協力者なわけです。

読売新聞と大阪府が連携協定を結ぶという愚行

だらしがないのは、朝日新聞だけではありません。

日本最大の発行部数を誇る読売新聞も、あろうことか、大阪府と連携協定を結んだのです。

２０２１年12月のことです。

大阪府と読売新聞大阪本社が、情報発信や教育・人材育成、子ども・福祉、地域活性化、環境など8分野についての包括連携協定を結んだという報道がありました。

大阪府が報道機関とこういう協定を結ぶのは、初めてです。

この協定の内容は、大阪府が読売新聞の朝刊に入れる生活情報誌や同社のＳＮＳをイベント関係の広報などで使用し、読売新聞側は児童福祉施設への新聞の寄贈を行うというものです。また大阪万博でも協力し合うということになっています。

包括提携というと、聞こえはいいですが、要は府の広報事業などの業務を読売新聞が請け負うということです。また大阪万博での協力関係も、読売側にとってみれば、ビジネス的に美味しいものです。

読売新聞側からは、福祉施設への新聞の寄贈などを行うということになっていますが、その負担額は屁のようなものであり、利益関係で見れば、大阪府から読売新聞の巨額のお金が流れるということです。そのお金は税金なのです。

もちろん、読売新聞から見れば、大阪府は上得意客ということになります。おいそれと、悪いことは書けません。これまで以上に忖度するようになるということです。

この協定書には「取材、報道、それらに付随する活動に一切の制限が生じないこと」と、府の同社に対する「優先的な取り扱いがないこと」を確認する内容が明記されているそうです。

が、そういうものは、形式的にいくらでも書けるし、抜け穴は簡単につくれるのです。

これまでも、維新の会の不祥事は、なかなか大手メディアが取り上げないという現象が起こっていました。

そもそも、なぜわざわざ「連携協定」など結ばなくてはならないのでしょうか？

新聞、テレビなどのメディアは「権力を監視する」という重要な役目があるはずです。

連携協定などを結べば、その目が緩くなるのは自明の理です。

メディアは最低限の道義として、政党や国、自治体などと特別な関係を結んではならないはずです。これは民主主義を守るうえで、最低限の条件です。

しかも大阪府や大阪市というのは、維新の会という一つの政党の色が非常に濃い自治体です。ここと連携するということは、一つの政党と連携するというふうに、取られても仕方のないところですし、もちろん、そういうことは絶対あってはならないことです。

朝日新聞といい、読売新聞といい、この節度のなさ、誇りのなさはどういうことでしょう。

日本にはこんな情けないメディアしかないのです。我々はこんな国に住んでいるのです。

朝日新聞の方、読売新聞の方、もし良心が残っているのなら、ぜひ弁明をお聞きしたいものです。

第二章
ひそかに億万長者が激増

国全体が貧困化する日本

現在、日本は急激な勢いで貧困化しています。

が、国民の多くはあまりそれを実感していないと思われます。

日本には、スラム街のような貧困者ばかりが暮らす地域はほとんどありません。また、路上生活者が目立って増えているわけでもありません。昔のような、明らかな貧困者というのは社会の中にあまりいないし、ほとんどの人が普通に生活しているように見えるので、貧困化が感じられないのです。

しかし、毎日働いているのに食うだけで精いっぱいの人、家が苦しいので進学をあきらめる人、お金が足りないので出産を諦める人などは、確実に増えています。

また、いよいよ生活が立ち行かなくなり、自殺を選択する人も増えています。つまり、貧しい人、生活に困っている人は、社会の中で隠れてしまっているのです。

平均賃金の世界ランキング（OECD35カ国）

図2

1	アメリカ	7.47万ドル
2	ルクセンブルグ	7.37万ドル
3	アイスランド	7.20万ドル
4	スイス	6.90万ドル
5	デンマーク	6.13万ドル
6	オランダ	6.09万ドル
7	ベルギー	5.91万ドル
11	ドイツ	5.60万ドル
14	イギリス	5.00万ドル
16	フランス	4.93万ドル
20	韓国	4.27万ドル
24	日本	3.97万ドル

出典・OECD　Average　annual Wages 2022

なぜ日本が貧困化しているのか、というと理由は明白です。

賃金が上がっていないからです。

昨今、ＯＥＣＤから衝撃的なデータが発表されました。

２０２０年のデータによると、日本人の給料は韓国より安いということが判明したのです。日本の平均賃金はＯＥＣＤ加盟35カ国の中で22位であり、19位である韓国よりも年間で38万円ほど安くなっているという結果が出たのです。

このＯＥＣＤの賃金調査は名目の賃金ではなく「購買力平価」です。購買力平価というのは、「そのお金でどれだけのものが買えるか」という金額のことです。

だから賃金の額面とともに、その国の物価なども反映されます。つまり「その賃金の購買力を比較している」というわけです。

ということは、日本人は韓国人よりも、38万円分も生活が厳しいということになります。

しかも図2のランキングのように2021年にはさらにランクを落とし、日本は24位となってしまいました。韓国は20位です。

日本の平均賃金はOECD全体の平均よりも年間100万ドル以上安くなっています。つまりは、日本人の賃金はOECDの平均よりも150万円程度低いということです。日本は先進国の中では、低賃金国となってしまったのです。

2022年には、ウクライナ戦争による急激な円安進行のため、日本の購買力平価はさらに下がったと思われます。

そして、この賃金低下こそが日本経済の地盤沈下の大きな要因でもあるのです。

この30年間、先進国で日本だけが賃金が下がり続けた

2017年の先進諸国の賃金（1997年を100とした場合）図3

アメリカ	176
イギリス	187
フランス	166
ドイツ	155
日本	91

出典（日本経済新聞2019年3月19日の「ニッポンの賃金・上」）

実は、この30年間、先進国で日本だけがほぼ唯一、賃金が下がり続けました。

図3の表は、主要先進国の1997年を基準とした賃金増加率を示したものです。これを見れば、先進諸国は軒並み50％以上も上昇しており、アメリカ、イギリスなどは倍近い金額になっていることがわかります。その一方で、日本だけが下がっている。しかも、約1割も減っているのです。

イギリスの187％と比較すれば、日本は半分しかありません。つまりこの30年間で、日本人の生活のゆとりは、イギリス人の半分以下になったといえます。

この30年間、先進国の中で日本の企業だけ業績が悪かったわけではありません。

むしろ、日本企業は他の先進国企業に比べて安定していました。

経常収支は、1980年以来、黒字を続けており、東日本大震災の起きたときでさえ赤字にはなっていないのです。企業利益は確実に上昇しており、企業の利益準備金も実質的に世界一となっています。

にもかかわらず、日本企業は従業員の待遇を悪化させてきたのです。

日本最大の企業であるトヨタでさえ、2002年から2015年までの14年間のうち、ベースアップしたのは、わずか6年だけです。2004年などは過去最高収益を上げているにもかかわらず、ベースアップがなかったのです。

なぜ日本の賃金だけが下がっているのか？

先進国で日本の賃金だけが下がってきているのは、いくつか理由があると思いますが、その最大のものは、政官財を挙げて「雇用の切り捨て」を容認し、推進すらしてきたということにあります。

バブル崩壊後の日本は、「国際競争力のため」という旗印のもとで、政官財が一致して、「雇用を犠牲にして企業の生産性を上げる」という方向に傾いたのです。

バブル崩壊以降、経団連は「新時代の〝日本的経営〟」として、「不景気を乗り切るために雇用の流動化」を提唱しました。

「雇用の流動化」

というと聞こえはいいですが、要は「いつでも正社員の首を切れて、賃金も安い非正規社員を増やせるような雇用ルールにして、人件費を抑制させてくれ」ということです。

これに対し、政府は、財界の動きを抑えるどころか逆に後押しをしました。

普通、先進国の政府というのは、賃下げを後押しするようなことはありません。企業と労働者というのは、どうしても会社のほうが立場が強いものです。なので、放っておくと、賃金は低く抑えられたり、不景気になると失業者が大量に発生したりします。

それは社会の安寧（あんねい）や国力維持を脅かすものなので、国は労働者の権利を守る法律をつくり、政府は企業に対し、賃金を下げないように監視しているのです。

しかしバブル崩壊後の日本政府は、それとまったく正反対のことをしてしまったのです。

その結果、前述したように、トヨタのように業績がいいのに長い間、賃金を上げないということになったのです。日本最大の企業であるトヨタが、賃金を上げないのだから、全国の企業は当然、賃金を抑制しました。

さらに政府は、1999年には労働者派遣法を改正しました。

それまで26業種に限定されていた派遣労働可能業種を、一部の業種を除外して全面解禁にしたのです。

2004年には、さらに労働者派遣法を改正し、1999年改正では除外となっていた製造業も解禁されました。

これで、ほとんどの産業で派遣労働が可能になったのです。

派遣労働法の改正が非正規雇用を増やしたことは、データにもはっきり出ています。90年代半ばまでは20％程度だった非正規雇用の割合が、98年から急激に上昇し、現在では35％を超えています。

このように、従業員の賃金を抑制し、非正規社員を増やしたことが、「この20年で先進国で日本人の賃金だけが上がっていない」ということになった最大の要因なのです。

急速に貧困化する日本

OECDにおける相対的貧困率（34カ国中）ワースト10位　図4

1位	イスラエル	20.9
2位	メキシコ	20.4
3位	トルコ	19.3
4位	チリ	18.0
5位	アメリカ	17.4
6位	日本	16.0
7位	スペイン	15.4
8位	韓国	14.9
9位	オーストラリア	14.5
10位	ギリシャ	14.3
17位	イギリス	9.9
25位	フランス	7.9

（出典　2014　OECD　FAMILY　DATABASE
厚生労働省「平成26年子供若者白書・第3節子どもの貧困」より）

この結果、日本は、先進国でも最悪レベルで貧困化が進んでいます。

図4の表は、OECD34カ国における相対的貧困率です。

相対的貧困率というのは、その国民の平均所得の半分以下しか収入を得ていない人たちがどのくらいいるかという割合です。

たとえば、国民の平均所得が500万円の場合は、250万円以下で生活している人がどのくらいの割合で存在するか、という数値です。

相対的貧困率は、そのまま貧困者がどれだけいるかという数値ではありません。相対的な貧困率なので、その国の平均所得のレベルによって貧困具合は変わってきます。

が、日本の場合、前述したように国民の平均所得はＯＥＣＤの中でも下のほうに属するので、相対的貧困率が低いということは、絶対的貧困率もかなり低いということになります。

つまりは、相対的にも絶対的にも貧困層が急激に増えているということです。

日本より相対的貧困率が高い国は、紛争が絶えないイスラエルや、たくさんの民族が共存している多民族国家ばかりです。多民族社会というのは、どうしても貧富の差が生まれやすいものです。先に住んでいた経済力のある民族と、後から来た民族などでは経済格差があるのは当たり前だからです。日本のように、ほとんど単一民族でこれほど貧富の差が激しい国というのは稀（まれ）です。

かつての日本はそうではありませんでした。90年代前半までの日本は、一億総中流とも言われ、「貧しい人がいない社会」をほぼ実現していたのです。しかし90年代後半から坂道を転がり落ちるように、格差が広がり、現在では世界でも有数の激しい格差社会となったのです。

実は日本企業の業績は決して悪くなかった

「バブル崩壊以降、景気低迷のために賃下げが行われてきた」

と国民の多くは思っています。

新聞やテレビは、そういう報道をしてきました。

が、実際は、バブル崩壊以降の日本企業の業績は決して悪くはなかったのです。

図5のように、2002年から2021年までの20年間で、日本企業の経常利益は倍以上になっています。

トヨタなど、2000年代に史上最高収益を更新し続けた企業も多々あるのです。そして、日本企業は、企業の貯金ともいえる「内部留保金」をバブル崩壊以降の30年で、激増させているのです。

日本企業は、海外市場での存在感は低下していましたが、各企業の収益力というのは衰えていなかったのです。

図5 日本企業全体（金融、保険以外）の経常利益の推移

年　度	経常利益額
2002 年度	31.0 兆円
2004 年度	44.7 兆円
2006 年度	54.4 兆円
2008 年度	35.5 兆円
2010 年度	43.7 兆円
2012 年度	48.5 兆円
2014 年度	64.6 兆円
2016 年度	75.0 兆円
2018 年度	83.9 兆円
2020 年度	62.9 兆円
2021 年度	83.9 兆円

出典：財務省・法人企業統計調査より

バブル崩壊以降、国民の多くは、「日本経済は低迷している」ということで、低賃金や増税に耐えてきましたが、その前提条件が、実は間違っていたのです。

企業の業績は悪くなかったのに、雰囲気で人件費を削ってしまったのです。その結果、企業は自分で自分の首を絞めることになりました。

日本の勤労者たちは、日本企業にとって大事な顧客でもあります。その顧客の収入が悪化するということは、自分たちの売り上げダウンに直結することになるのです。

つまりは、国内市場が小さくなることになるのです。

実際に日本の消費は減っています。

総務省の「家計調査」によると、２００2年には一世帯あたりの家計消費は３２０万円を超えていましたが、２０１9年は２９０万円ちょっとしかありません。先進国でこの20年の間、家計消費が減っている国というのは、日本くらいしかないのです。

その結果、企業収益はいいのに、国内消費（国内需要）は減り続けることになります。これでは景気が低迷するのは当たり前です。

国民の消費が減れば、企業の国内での売り上げは当然下がります。

国内の消費が10％減っているということは、国内のマーケットが10％縮小するのと同じことです。企業にとっては大打撃なのです。

消費が増えず、国内のマーケットが縮小するということは、日本経済のキャパが縮小するのと同様です。日本企業はがんばって輸出を増やし続けているので、ＧＤＰ自体は微増しています。しかし、ほかの国々に比べれば明らかに成長率は落ちています。

そのため、一人当たりのＧＤＰがほかの国々にどんどん抜かれていき、国際的地位も低下していったのです。

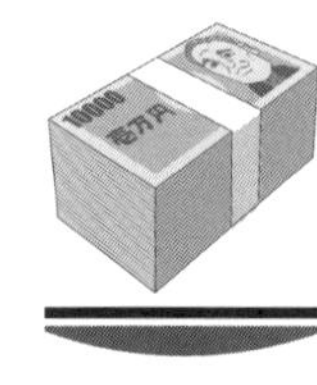

その一方でひそかに超富裕層が激増

その一方で、実は昨今の日本では超富裕層が激増しています。

これは、新聞、テレビで報じられることはほとんどありません。が、データを見れば、誰でもすぐにわかることなのです。

図6は、3000万ドル以上の資産を持つ人の数の国別ランキングです。3000万ドルというと、日本円にして45億円程度の資産を持つということになります。超富裕層といえるでしょう。

日本は、この超富裕層の人口が中国に次いで世界第3位です。日本はアベノミクス以降、円安が続いており、円換算での資産価値は減り続けているにもかかわらず、これほど多くの超富裕層が日本には存在するのです。

しかも日本は近年この超富裕層が激増しており、2017年からの3年間だけでも20%近くも増加しています。

3000万ドル以上の資産を持つ
「超富裕層人口」の国別ランキング（2020年）

図6

1位	アメリカ	101,240人
2位	中　国	29,815人
3位	日　本	21,300人
4位	ドイツ	15,435人
5位	カナダ	11,010人
6位	フランス	9,810人
7位	香　港	9,435人
8位	イギリス	8,765人
9位	スイス	7,320人
10位	インド	6,380人

「出典・World Ultra Wealth Report2020」

なぜ超富裕層が激増しているのかというと、日本経済は近年、一部の人への「高額報酬」を推進しているからです。

２０１０年３月期決算から上場企業は１億円以上の役員報酬をもらった役員の情報を有価証券報告書に記載することが義務付けられ、２０１０年の上場企業では３６４人もの１億円プレイヤーがいたことが判明し、世間を驚かせました。

が、上場企業の１億円プレイヤーは、その後も激増をつづけ、２０２１年には９２６人になっているのです。

企業によっては、社員の平均給与の２００倍の報酬をもらっている役員もいました。

日本の企業は、以前はこうではありませ

んでした。

「ジャパン・アズ・ナンバーワン」と言われ、日本企業が世界経済でもっとも存在感が大きかった1980年代、日本企業の役員報酬は、その社員の平均給料の10倍もないところがほとんどだったのです。

欧米の役員や経済学者たちは、そのことを不思議がったものです。

「従業員の給料はしっかり上昇させ、役員報酬との差は少ない」

「会社のトップがそれほど多くない報酬で最高のパフォーマンスをする」

それが80年代までの日本企業の強さの秘訣だったのです。

しかし、今では役員と従業員の報酬は、欧米並みか、それ以上に差があります。そして、従業員の賃金は、欧米では考えられないような、下げ方を続けてきました。また欧米では絶対ありえないような陰湿な方法で、リストラが敢行されてきたのです。

富裕層にはひそかに大減税が行われていた

昨今の日本で超富裕層が激増しているのは、税金も大きく関係しています。

あまり知られていませんが、この数十年、金持ちの税金は減税に次ぐ減税が行われてきました。少子高齢化などを理由に、国民全体では増税に次ぐ増税が繰り返されてきたにもかかわらず、です。

所得が1億円の人の場合、１９８０年の時点での所得税率は75％でした。しかし86年には70％に、87年には60％に、89年には50％に、そして現在は45％まで下げられたのです。

また住民税の税率も、ピーク時には18％だったものが、今は10％となっています。

つまり金持ちの税金は、この40年間で40％も下げられているのです。

また、相続税の最高税率も下げられています。相続税の最高税率は１９８８年までは75％だったのが、現在は55％になっているのです。

そして、これもあまり知られていませんが、日本の金持ちの税負担率というのは世界的に見ても非常に低いのです。

金持ちの収入の柱である「配当所得」が、非常に安い税率になっているからです。この配当所得の税金は、先進国の中では最安なのです。

配当所得に対する税金（所得税・財務省サイトより）

日本　　　15％
アメリカ　0〜20％
イギリス　10〜37・5％
ドイツ　　26・375％
フランス　15・5〜60・5％

アメリカ、イギリス、ドイツ、フランスと比べても、日本の所得税率15％というのは明らかに安いのです。イギリスの半分以下であり、ドイツ、フランスよりもかなり安くなっています。

投資家優遇として名高いアメリカと比べても、日本のほうがはるかに安いのです。

株主優遇制度は、それだけにとどまりません。

2002年には、商法が改正され、企業は決算が赤字でも配当ができるようになったのです。それまでは各年の利益から配当が払われるのがルールだったのですが、この改正により、その年は赤字でも、過去の利益を積み立てているような会社は、配当ができるようになったのです。

このため、会社は赤字でも毎年配当をすることができるようになりました。この結果、上場企業の株式配当は、この15年でなんと3倍に激増しているのです。

日本はこの30年の間、消費税の税率は跳ね上がり、社会保険料も段階的に上げられ、国民生活は年を経るごとに苦しくなっています。その一方で、富裕層にはひそかに大減税を実施しているのです。

政府はまるで「格差社会をつくるための政策」「貧困層を増やすための政策」を行ってきたとしか思えません。

第二章

財務省、経団連、政治家……悪のトライアングル

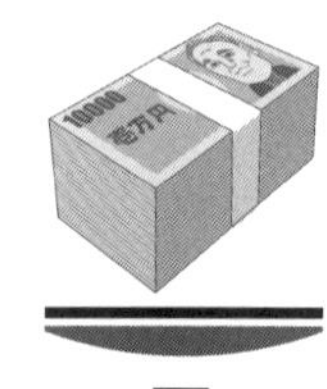

国全体が貧困化する日本

日本全体を貧困化させ、深刻な格差社会を生じせしめた悪政には、二つの「悪の組織」が大きく関与しています。

その二つの悪の組織というのは、「財務省」と「経団連」です。

財務省とは、国の財務を司る官庁ではありますが、その権力は財務だけにとどまらず、徴税、金融など多岐に及んでいます。これほどの強力な権限を持っている官庁は、世界の中でも稀だと言えます。現代政治においては、権力の集中はいろんな弊害を招くことから、なるべく一つの官庁に大きな権限は集中させないようになっています。日本の財務省は世界の政治の流れに逆行しているのです。

経団連とは、「日本経済団体連合会」のことであり、日本の一流上場企業の経営者の集まりです。多額の政治献金もしており、政治に大きな影響力を持っています。経団連の会長は、「影の首相」とさえ言われているのです。

財務省も経団連も、日本を主導する立場にあります。

しかし彼らは、国民全体の生活や、日本の将来のことなど一切目もくれず、ただただ自分たちの目先の利益のために邁進(まいしん)するという性質を持っています。

財務省と経団連は、官と民であり、一見、あまり関係性がないようにも思われます。実際に直接的な関連はほとんどありません。

しかし、実はこの両者には、非常に密接な関係性があり、この二つの組織は車輪の両輪となって、日本の悪政を推し進めてきたのです。

この両者が結託していることも、マスコミでほとんど報じられることはありません。公然の秘密であるにもかかわらず、です。

本章では、この二つの悪の組織とその策謀について、追及していきたいと思います。

日本経済を牛耳る「経団連」

最初にご紹介するのは、「経団連」です。

経団連とは、正式には、日本経済団体連合会といいます。

よく経済ニュースなどでその名が出てくるので、ご存知の方も多いはずです。

経団連とは、上場企業の経営者を中心につくられた会合であり、いわば日本の産業界のトップの集まりです。経団連には、上場企業を中心に約１４００社、主要な業界団体１００以上が加入しています。

実は、経団連は上場企業だからといって自動的に入れるものではありません。

経団連のサイトによると入会資格は、次のようになっています。

入会資格（企業会員）
1．経団連の事業に賛同し、「企業行動憲章」の精神を尊重・実践すること
2．経済事業を営む法人で、事業内容等が当会会員として相応しく、社会的に有用な商品・サービスを継続的に開発・提供していること
3．純資産額（単体）が10億円以上であること
4．３期以上連続して当期純損失を計上していないこと
5．財務諸表に関する公認会計士等の監査報告書が適正意見であること（または、同等

の内容が確保されていること）
6．リスク管理体制・内部統制システムが導入・整備されていること
7．過去3年間において重大な不祥事の発生がないこと

が、これらの条件をクリアしていれば、そのまま加入できるわけではなく、個別の審査が行われるのです。

つまりは、経団連の会員の同意がなければ加入できないのです。当然のことながら、加入が古い会員の発言力が強くなります。老舗企業の経営者が幅を利かすことになるのです。

日本の金持ちの多くは、大企業の大株主であったり、大企業の役員であったりなど、大企業に関連しています。その大企業の経営者の集まりである経団連は日本の「金持ちの中の金持ち」が集まっている集団だといえます。

日本経済団体連合会の会長は、「財界の首相」とも呼ばれ、日本経済に大きな影響力を持っています。

この経団連は、加盟企業が一流企業ばかりで、しかも約1400社もあるということで、それだけでも大きな政治権力を持ちうるのですが、政党への企業献金も非常に多いのです。

そして経団連は、長年、自民党を支持しており、加盟企業に自民党への政治献金を呼び掛けています。自民党は、経団連の加盟企業から、毎年巨額の政治献金を受けており、収入の大きな柱になっているのです。

いわば、経団連は自民党のオーナーのような立場なのです。

当然、自民党は経団連の意向に沿った政策を行うことになります。この数十年、金持ちの税金が大幅に下げられてきたのも、経団連の影響が非常に大きいのです。

「日本では大企業や富裕層の税金が下げられてきた」

ということを先に述べました。

それも、経団連の存在が大きく影響しているのです。

予算法の欠陥により旧大蔵省のパワーが膨張した

次に財務省とはどんな組織なのか、ということをご説明します。

本来、財務省というのは、国の「会計係」に過ぎません。会計係というのは、お金の出し入れをチェックするだけです。

予算を決めるのは政治家の仕事であり、財務省は決められた予算を管理するだけの業務なのです。

が、日本の財務省の場合、事実上「予算を決める仕事」もしています。これは、先進国としては異常な状態です。先進国の中で、日本のように財務省が強いパワーを持っている国はほかにはないのです。

日本の場合、ある特有の事情により、旧大蔵省が実質的に「予算を決める仕事」までも行うことになったのです。

実は財務省は、昔から大きな力を持っていたわけではありません。

戦前は、内務省という官庁が圧倒的に強い力を持っていましたし、もちろん軍部も力が強かったので、財務省は3番手、4番手程度の官庁に過ぎませんでした。

しかし、日本国憲法の「ある規定」のために財務省（旧大蔵省）の権力が、異常に膨張してしまったのです。

日本の憲法では、「国の予算には国会の承認が必要である」とされています。そして、国会では、予算の隅から隅まで検討することになっています。

実は、このルールが、財務省の存在を非常に大きくしてしまっているのです。

戦前は、そうではありませんでした。

戦前も、一応、国の予算は帝国議会の承認を得る必要がありました。が、各省庁の経常費用については自動的に認められることになっていたのです。だから、各省庁は、「何か特別な支出が必要な時だけ」、帝国議会に承認を求めればよかったのです。

が、戦後の憲法では、予算はすべて国会の承認が必要という事になりました。だから、各省庁は、毎年かかる費用をすべて一から算出し、内閣がそれを精査したうえで、国会に提出されることになったのです。

が、内閣も国会も、政治家で構成されており、政治家というのは、予算の細かい内容のことまではわかりません。必然的に、各省庁の予算を精査するのは、大蔵省（現財務省）の仕事となったのです。

つまりは、大蔵省が各省庁の予算計画を精査し、「これはよし」「これはだめ」などと指示するようになったのです。そのうち、権力が膨れ上がり、「大蔵省以外は、省庁ではない」とさえ言われるようになったのです。

高度成長により大蔵省の存在がさらに大きくなる

このように、強大なパワーを持ってしまった大蔵省ですが、高度成長期において、さらにそれが膨張することになります。

高度成長期というのは、日本経済が爆発的に成長していた時期です。必然的に、税収もうなぎ登りに増加しました。予算をはるかに超える税収が入ってくるので、毎年のように減税が行われていたのです。

このとき、国には自由に使えるお金がふんだんにありました。そのお金の配分も、大蔵省が中心になって行うようになったのです。

「大きなお金を動かす」

ということは、必然的に大きな権力が生じます。

政治的な発言力も強くなります。各省庁の幹部たちや、地方の首長、民間企業の経営者など、日本中のあらゆる分野のリーダーたちが、大蔵省に頭を下げるようになりました。

このようにして大蔵省の存在は、日本の高度成長とともに急激に肥大化したのです。

そして、それはバブル期には頂点に達します。バブル当時の大蔵省は、汚職や官官接待などの不祥事があまりに多かったために、国民の批判を浴び、解体されて「財務省」となりました。

が、この解体は、ただの「看板の付け替え」に過ぎませんでした。

大蔵省の持っている権限はほぼそのまま保持されました。国民は大蔵省がどういう権限を持っているかまでは知りません。それをいいことに、一応、組織を解体したという建前をつくりつつ、権限をそのまま引き継いだ財務省をつくったのです。

財務省に権力が異常集中している

財務省は、財政面だけではなく、政治面にも非常に大きな権力を持っています。

政治がらみの重要なポストを、すべて握っているからです。

総理秘書官の中でもっとも重要なポストである筆頭秘書官は、財務省の指定席になっています。筆頭秘書官は、総理に四六時中付き添って、政策のアドバイスを行っています。そのため、総理はどうしても財務省寄りの考えになってしまうのです。

官邸の司令塔的役割の官房副長官補も、財務省からの出向者となっています。重要閣僚の秘書官など、すべての重要ポストは財務省が握っているのです。

しかも、これにプラスして国税庁までも握っているのです。

国税庁は建前の上では、財務省から独立した地位にあるということになっています。国税庁側は、「国税庁と財務省は、独立した緊張関係にあり、決して従属の関係ではない」などと言っています。が、これは詭弁も甚だしいものです。

人事面を見れば、国税庁はまったく財務省の支配下であることがわかります。

まず国税庁トップである国税庁長官のポスト、これは財務省のキャリア官僚の指定席なのです。そして、国税庁長官だけではなく、次長、課税部長も財務省キャリアの指定席となっています。

国税庁長官、次長、課税部長の3職は、国税庁のナンバー3とされており、つまり、国税庁ナンバー3はいずれも、財務省のキャリアで占められているのです。

他にも、強大な権力を持つ、調査査察部長や、東京、大阪、名古屋など主要国税局の局長も、財務省のキャリアが座っています。

これを見れば、どう考えても「国税庁は財務省の子分だ」とわかるはずです。

そして財務省が国税庁を握っているということは、実は非常に危険なことなのです。

「徴税権を持つ」

ということは、予算権限を持つのと同等か、それをしのぐような強力な国家権力です。

財務省は国の柱となるような二つの巨大な権力のうち、二つとも手中にしているのです。

このような巨大な権力を持つ省庁は、先進国ではあまり例がありません。

国税庁は、国民全部に対し、「国税に関することはすべて調査する権利」を持っています。

国民には、これを拒否する権利はないのです。

このような強大な「徴税権」を、予算権を持っている財務省が握っているのです。

実は、これは非常に恐ろしい事でもあります。

「予算というエサをばら撒くことで言う事を聞かせる」

ということのほかに
「徴税検査をちらつかせて言う事を聞かせる」

ということができるのです。

これでは国民も企業も、財務省の言う事を聞くしかなくなる、というものです。

財務省と経団連の癒着

そして財務省と経団連は、根の部分でつながっています。

ただ財務省といっても、財務省の職員すべてのことではありません。財務省の「キャリア官僚」のみの話です。キャリア官僚というのは、最難関の国家試験に受かって入省した官僚のことであり、自動的に財務省の幹部になることが保証されており、「財務省の幹部」とキャリア官僚は、同義語になっています。

なぜ財務省キャリア官僚と経団連がつながっているかというと、それは「天下り」です。財務省のキャリア官僚のほとんどは、退職後、日本の超一流企業に天下りしているのです。

三井、三菱などの旧財閥系企業グループをはじめ、トヨタ、ＪＴ（日本たばこ産業）、各種の銀行、金融機関等々の役員におさまるのです。しかも、彼らは数社から「非常勤役員」の椅子を用意されるので、ほとんど仕事もせずに濡れ手に粟で大金を手にすることができるのです。

財務省キャリアの中でも、事務次官、国税庁長官経験者らは生涯で8億～10億円を稼げるとも言われています。

つまり財務省キャリア官僚たちは将来、必ず経団連の企業の厄介になる、そのため、大企業に利するということは、自分たちに利することになるのです。

なぜ大企業は財務省キャリアを受け入れたがるのか？

官僚の天下りというのは、昔から問題になっていたことであり、何度も国会等で改善策が施されたはずです。官僚の天下りはもうなくなったのではないか、と思っている人もいるはずです。

確かに、財務官僚以外のキャリア官僚たちの天下りは、大幅に減っているのです。が、財務官僚の天下りだけは、今でもしっかり存在するのです。

なぜ財務官僚だけが、今でも堂々と天下りをしていられるのでしょうか？

実は、現在の天下りの規制には、抜け穴が存在するのです。

現在の公務員の天下り規制は、「公務員での職務で利害関係があった企業」が対象となっています。が、この「利害関係があった企業」というのが、非常に対象が狭いのです。

たとえば、国土交通省で公共事業の担当だった官僚が、公共事業をしている企業に求職をしてはならない、という感じです。が、少しでも担当が違ったりすれば、「関係ない」ことになるのです。

また、バブル崩壊以降の長い日本経済低迷により、企業たちも天下り官僚を受け入れる枠を減らしてきました。だから、官僚の天下りは相対的には減っています。

しかし、財務省のキャリア官僚だけは、ブランド力が圧倒的に強いために、天下りの席はいくらでも用意されるのです。前述しましたように財務省というのは、一般の人が思っているよりはるかに大きな権力を持っています。財政だけでなく、政治や民間経済にまで大きな影響を及ぼしているのです。日本で最強の権力を持っているとさえいえます。

そのため、その権力をあてにして、大企業が群がってくるのです。

しかも、企業にとって、財務官僚の天下りを受け入れるということは、税金対策にもなるのです。財務省は国税庁を事実上の支配下に置いており、徴税権も握っています。そのため各企業は、税金において手心（てごころ）を加えてもらうために、競うようにして財務官僚の天下りを受け入れているのです。

「消費税」は財務省と経団連の策謀の象徴

そして、財務省と経団連の策謀の象徴ともいえるのが、「消費税」なのです。

消費税というのは、財務省と経団連が中心になって、喧（やかま）しく宣伝活動が行われてきました。

特に経団連は消費税導入とその後の税率アップは、政治家に執拗に働きかけてきました。

たとえば、２０１８年の10月に、安倍首相が消費税の増税にゴーサインを出したときには、経団連は会長コメントとして次のような声明を発表しています。

「社会保障制度の持続可能性の確保および財政健全化のために消費税率の引き上げは不可

欠である。今般の安倍総理の引き上げ表明を歓迎する」

経団連が、真に国民のため、日本の将来のためを思って、消費税を推奨してきたわけではありません。信じられないほど身勝手に、自己の利益のためだけに、消費税の宣伝をしてきたのです。

経団連の主張は、「消費税を上げて、その代わりに法人税を下げよ」ということでした。この経団連の主張は、別に秘密裏に政治家に働きかけられたわけではありません。公の場で堂々と述べられ、経団連の主張として文書でも発表しています。

そして、この主張は通り、そのまま実行されたのです。

消費税がつくられ、さらに税率がアップされ、その代わりに法人税が大幅に下げられたのです。法人税率は、１９８８年までは43・３％だったものが、２０１５年には23・９％になっています。

約半減です。

この30年間、国民は消費税の創設や増税、社会保険料の値上げなどの負担増に苦しんできました。その一方で、法人の税金は急激に下げられてきたのです。

この時点ですでに「社会保障費のために消費税が必要」という財務省の喧伝は、真っ赤な嘘なのがわかるはずです。


「消費税を上げて、法人税を下げる」

とはどういうことでしょうか?

法人税というのは、「儲かっている企業」に対して、「儲かっている部分」に課せられる税金です。

一方、消費税というのは、国民全体が負担する税金です。

「消費税を上げて、法人税を下げる」ということは、「儲かっている企業の税負担を減らし、その分を国民に負担させる」ということなのです。

「儲かっている企業」の集まりである経団連にとっては、万々歳のことです。自分たちの負担を減らし、それを国民に押し付けるのです。

しかしこれは、日本経済を窮地に追い詰めるものでした。

「儲かっている企業の税負担を減らし、その分を国民に負担させる」

ということは、決して日本経済の実情に合っていません。

前述しましたように、バブル崩壊以降、日本でのサラリーマンの平均賃金は下がりっぱなしです。

そういう中で消費税を上げると、どうなるでしょうか？

国民の生活は苦しくなります。当たり前といえば当たり前の話です。前述しましたように、ＯＥＣＤのデータでも日本は急速に貧困化し、格差が拡大しています。

消費税の弊害はデータとしても、明確に表れているのです。

消費税導入以降、日本は格差社会になった

消費税というのは、天下の悪税です。

世界には、間接税を採り入れている国はたくさんありますが、トイレット・ペーパーとダイヤモンドにも同じ税率の間接税にしている国は、日本くらいしかありません。世界のほとんどの国では、間接税は贅沢品には高い税率が課せられ、生活必需品は無税か、相当に低い税率が設定されているのです。

日本にも一応、軽減税率が設けられていますが、生鮮食料品がわずか2%低いだけです。こんな雑な間接税をつくっている国は、ほかにはありません。

消費税は、年収が低い人ほど年収に占める税負担割合が増える「逆進税」です。年収が低い人は、収入のほとんどを消費に回さざるを得ないので、必然的に税負担割合が高くなります。年収の高い人は、収入の一部しか消費に回さないので、年収に占める税負担率は低くなります。

たとえば、年収200万円の人は、収入のほとんどを消費してしまいますので、年収の10%を取られているのと同様になります。

が、年収1億円の人は、だいたい収入の半分以下しか消費には充てませんので、収入に対して5%以下の税金が課せられているに過ぎないことになります。

もし所得税などで、年収300万円の人の税率を10%にし、年収1億円以上の人の税率を5%以下にすれば、国民は猛反発するし、絶対にそういう税制は認められないはずです。

しかし、それと同じことをしているのが消費税なのです。

消費税は「間接税」であり、実際に誰がどの程度の負担をしているのか見えにくいので、国民が騙(だま)されているだけなのです。

実際に、日本が格差社会と言われるようになったのは、消費税が導入されて以降なのです。消費税導入前の日本は、「1億総中流」とも言われ、誰もがそれなりに豊かに暮らしていける社会を実現していました。

もちろん、日本が格差社会になった理由は消費税だけではありませんが、消費税が大きな要因の一つであることは間違いないのです。

第四章

朝日新聞は脱税常習犯

「消費税は良い税金」という喧伝をした新聞

前章では、財務省、経団連、政治家の策謀の象徴が消費税であるということを述べました。悪いことだらけ、欠陥だらけの消費税ですが、世間では「公平な税金」と思っている人が多いようです。

「世界にはもっと間接税が高い国はたくさんあり、日本の消費税はむしろ低い」
「消費税は、国民に同じ割合でかけられるから公平」
ということのようです。

しかし前述したように、世界では生活必需品には低い税率が設定されているなど、貧困者への配慮がしてあります。日本のようにトイレット・ペーパーにも、ダイヤモンドにも同じ税率というようなことはないのです。

にもかかわらず、日本では消費税の悪い部分はあまり知られず、消費税のいい部分ばかりが強調されて浸透しています。

これは財務省の喧伝による影響が大きいと思われますが、それ以上に大きな影響を与えたのが、新聞です。

現在、ほとんどの新聞が消費税を「いい税金」として推奨しています。

国のやることには反対ばかりしている朝日新聞も、ある時期から消費税を激賞するようになったのです。

ここに、日本のマスコミの深い闇があるのです。

朝日新聞が突然、消費税推進派になった日

2012年3月31日、朝日新聞は衝撃的な社説を発表しました。

「税制改革の法案提出　やはり消費税増税は必要だ」

と題されたその社説には、

「高齢化が急速に進むなか、社会保障を少しでも安定させ、先進国の中で最悪の財政を立て直していく。その第一歩として、消費税増税が必要だ。私たちはそう考える」

と記されており、消費税を強力に推進する内容となっていました。

この社説を発表して以降、朝日新聞は強硬な消費税推奨派になったのです。

本来、報道機関というのは「公正中立」でないとならないという建前があります。新聞社が、賛否両論がある消費税について、これほど明確に「自分の主張」を行うというのは珍しいことでもあります。

しかも朝日新聞は、これまで消費税を推進してきたわけではありませんでした。

1987年に消費税の原型ともいえる「売上税」が自民党から提案されたとき、朝日新聞は反対の立場でした。特に、テレビ朝日の『ニュース・ステーション』は大々的に売上税反対キャンペーンを繰り広げ、自民党は選挙で大敗、売上税は廃案に追い込まれました。

このときは、「自民党は『ニュース・ステーション』に敗れた」とさえ言われました。

また消費税が導入されてからも、朝日新聞は、「消費税賛成」の立場は取ってきませんでした。

「消費税はやむを得ないのではないか」

という論調に傾きながらも、

「大企業や富裕層の税制優遇」

「歳出の削減」を徹底的にやらなければ、消費税増税について国民の理解を得られるわけはない、という立場を貫いてきたのです。

消費税増税を主導する朝日新聞

前述しましたように消費税というのは、年収が低い者ほど負担割合が高くなる税金です。朝日新聞も、この低所得者ほど高負担になるという消費税の欠陥については、たびたび批判してきたのです。

また朝日新聞は２０１２年３月18日の社説でも「整備新幹線　これで増税が通るのか」と題して、整備新幹線（日本政府が１９７３年〈昭和48年〉11月13日に整備計画を決定した新幹線５路線）の着工にゴーサインを出した当時の野田政権に対して、「歳出を絞らずに消費税の増税を国民に求めるとは不届きな！」というニュアンスのことを述べています。

ところが、それからわずか2週間後に、冒頭に紹介した2012年3月31日の社説が出されました。

朝日新聞はこの社説で、

「大企業や富裕層の税制優遇」

「歳出の無駄」

などの問題は解決していないことを認めつつ、

「それでも、とにかく消費税は増税しなくてはならない」

という、強力な消費税推進派の立場に豹変したのです。

普通の良心のある新聞社であれば、

「大企業や富裕層の税制優遇の解消」

「歳出の削減」

の問題のほうを先に片づけることが先決だと言い続けるのが当然のはずです。にもかかわらず、朝日新聞は、「消費税の増税のほうが先だ」と突然言い始めたのです。

その後、朝日新聞は、すっかり強硬な消費税推進派になってしまいました。

2018年10月1日の社説では、消費税増税の先送りをしようとしていた当時の安倍首相に対して、次のように消費税増税を強力に主張しています。

「4年前は増税の先送りを決め、『国民に信を問う』と衆院を解散した。16年の参院選の直前には『これまでの約束とは異なる新しい判断だ』として、2度目の延期を決めた。昨年は、増税で得られる税収の使い道を変えるとして、またも国民に信を問う戦略をとった。来年は統一地方選や参院選がある。政治的な理由で、3度目の延期をすることがあってはならない。」

これを読むと、朝日新聞は当時の安倍首相よりもはるかに消費税の増税に積極的だということがわかります。

つまり、朝日新聞は安倍首相に忖度して消費税増税を推進しているわけではなく、むしろ躊躇（ちゅうちょ）する安倍首相の尻を叩いて、消費税増税を働きかけているのです。

朝日新聞は、「日本の将来のため」「国民の生活」を真剣に考えて、こういう結論を出したのではありません。

朝日新聞は信じがたいほどの利己的な考え（自社の権益を守るため）により、強硬な消費税推進派に転向したのです。

たびたび脱税を指摘されていた朝日新聞社

あまり大きく語られることはありませんが、実は朝日新聞社という新聞社は脱税の常習犯なのです。

ここ20年の間にも、２００５年、２００７年、２００９年、２０１２年に、「所得隠し」などをしていたことが新聞各紙で報じられています。

特に２００９年2月に、報じられた脱税はひどいものでした。

その内容というのは、２００８年3月期までの7年間に約3億９７００万円の所得隠し（仮装隠蔽）をしていたというものです。

この所得隠しのうち、約１８００万円は「カラ出張」でした。そして、このときは、「所得隠し」以外にも申告漏れが指摘されており、申告漏れの額は全部で約5億１８００万円でした。

所得隠しというのは、売上を隠したり、架空の経費をでっち上げたりするなどの「不正行為」のことです。不正行為があった場合は、重加算税という税が課されます。そして、不正行為の額が大きい場合は、「税法違反」で起訴されることになり、それが事件用語においての、いわゆる「脱税」です。

脱税として起訴される所得隠しの金額の目安は、だいたい2億円程度とされています（それより少ない金額でも起訴されることはあります）。朝日新聞社の所得隠し額は約3億9700万円であり、起訴されてもおかしくない額なのです。

つまり、朝日新聞社は、運よく起訴を免れているだけであり、内容的には刑事事件に該当する「脱税行為」を行っていたのです。

筆者は、元国税調査官であり、いろんな脱税行為、所得隠し行為を見聞きしてきましたが、「カラ出張」というのは相当に悪質なものです。かなり、素行の悪い企業でも、カラ出張まで行うようなことはめったにありません。

このときは朝日新聞社もヤバいと思ったらしく、京都総局の当時の総局長を停職処分にしたり、東京、大阪、西部、名古屋の各本社編集局長を減給処分にしたりしています。

消費税増税派への転向と脱税との関係

このように、朝日新聞社は、税金に関して非常に緩いというか、順法精神を欠いた社風を持っていて、このことは、実は朝日新聞が「消費税増税推進」に転向したことと大きく関係しているのです。

というのも、２０１２年3月30日にも、朝日新聞社の課税漏れがあったというニュースが報じられているのです。

朝日新聞社は、東京国税局から5年間で約2億５１００万円の申告漏れを指摘されたのです。このときも、不正行為（仮装隠蔽）があり、重加算税が課せられています。

この記事だけを見れば、いつもの「朝日新聞社の脱税」だということになります。

が、この記事の場合、日付が重要なポイントなのです。

このニュースが報じられた２０１２年3月30日というのは、朝日新聞が「消費税増税やむなし」という社説を出した前日のことです。

つまり朝日新聞社は、国税局の指摘を受けた直後に、まるで降参するかのように「消費税増税派」に転向したのです。

しかも特筆すべきことは、

「朝日新聞社が消費税増税派に転向した途端、朝日新聞の所得隠しのニュースがぱたりとなくなった」

ことです。

朝日新聞社は、2005年、2007年、2009年、2012年に「課税漏れ」のニュースが報じられています。が、この2012年3月のニュースを最後に、この手の課税漏れのニュースがまったく報じられなくなったのです。

朝日新聞社のような大企業には、だいたい2～3年おきに税務調査が行われます。だから、朝日新聞社に税務調査が入っていないということはないはずです（もし2012年以降、税務調査が入っていないとすれば、明白に不自然であり、大問題だといえます）。

2012年以降、ニュースになっていないということは、それほど大きな課税漏れなどはなかったということになります。

2012年までは、あれほどずさんな会計をしていた朝日新聞社が急にきっちり会計をするようになったとは考えにくいものです。筆者の元国税調査官としての感覚から言えば、ずっとずさんな会計をしていた企業が急に身ぎれいになるというようなことは、ありえないからです。

また課税漏れのニュースなどは、脱税で起訴されない限りは、国税局がリークしなければ報じられることはほとんどありません。だから、東京国税局が朝日新聞社の課税漏れをリークしなくなったのかもしれません。

いずれにしても、国税局と朝日新聞社のこの経緯には、非常に不自然なところがあると言わざるを得ません。はっきり言えば、朝日新聞が消費税増税派に転向したからその報賞として、税務調査がゆるくなったのではないか、ということです。

「セレブな生活」をする朝日新聞社の社員たち

また、これもあまり語られることはありませんが、朝日新聞社というのは、実は日本で有数の金持ち企業です。

朝日新聞社は東京銀座朝日ビルディングや大阪の中之島フェスティバルタワーなどを所有しています。東京銀座朝日ビルディングは、世界最高級のホテルである「ハイアットセントリック」が、入っています。

また中之島フェスティバルタワーには、これまた日本で最高級クラスのホテルの「コンラッド大阪」が入っているのです。

朝日新聞社の純資産額は、約4000億円です。

純資産額というのは、資産から負債を差し引いた額であり、朝日新聞社の正味財産です。これが4000億円もあるのです。

世界的に見ても、有数の金持ちメディア企業なのです。

そして、その役員や社員たちは、日本サラリーマン平均の数倍の報酬を得ている「富裕層」なのです。

朝日新聞社の社員の平均給料は、1200万円前後です。

これは、日本のサラリーマンの平均の約3倍です。富裕層に属すると言えるでしょう。

さらに、彼らは取材費という名目で自由になる金がかなりあります。それらを含めれば、日本人の平均給与の4～5倍の経済力があると言えるでしょう。

先ほど述べたように、消費税というのは所得の低い者ほど痛みの大きい税金です。高額所得者である朝日新聞社の社員たちにとって、消費税の痛みは感じにくいものです。

また、消費税が導入されて以降、高額所得者や会社の税金は大幅に下げられてきています。金持ちや大企業にとっては、消費税を上げて、所得税や法人税を下げられれば、万々歳なのです。

逆に言えば、消費税の増税が中止されて、高額所得者の増税が行われれば彼らは困るのです。つまり、朝日新聞社の社員にとっては、消費税を上げることは自分たちの直接的な利益になることなのです。

巨大な利権を与えられた新聞業界

朝日新聞が消費税推奨派に転向した理由は、これだけではありません。

消費税には、とんでもない利権が隠されているのです。

現在、日本の消費税には、「軽減税率」が設定されています。軽減税率の主な対象品目は、食品表示法に規定する飲食料品です。食料品は生活必需品なので、これが主な対象にされたことは、不自然なことではありません。

が、非常に不審なのが、「定期購読契約が締結された週2回以上発行される新聞」も入っていることです。

新聞協会は、このことについて次のように主張しています。

「書籍、雑誌も含めて、活字文化は単なる消費財ではなく「思索のための食料」という考え方が欧州にはある。新聞をゼロ税率にしている国もイギリス、ベルギー、デンマーク、ノルウェーの4か国ある。欧州連合（EU）加盟国では、標準税率が20%を超える国がほとんどで、その多くが新聞に対する適用税率を10%以下にしている」

が、この新聞協会の主張には「誤誘導」があります。

「情報は民衆の必需品」という考え方は、多くの人にとって理解できるものでしょう。

しかし欧州諸国のほとんどは、新聞だけではなく、雑誌や書籍も対象にしています。

「定期購読の新聞」だけを対象にしているのは、ほぼ日本だけです。

なぜ日本では「新聞だけ」なのでしょうか？

新聞だけが対象になるのであれば、「情報は民衆の必需品」という考え方には合致しないはずです。

しかも、対象になるのは、「定期購読」されているもののみです。コンビニや駅売店などで売られている新聞は、対象になりません。なぜ同じ新聞なのに、定期購読だけが対象になっているのか、非常に不可思議です。

新聞の定期購読者を一番抱えているのは、大手新聞社です。

つまり、これは、大手新聞社を優遇していると見られても、仕方がないはずです。

実は、朝日新聞が社説に「消費税推進」を掲げた時、その時がまさに、軽減税率の対象品目が検討されていた時期でした。

ただ、このときには対象品目の調整がうまくいかず、２０１４年の増税時には軽減税率の設定は見送られました。

が、２０１９年の軽減税率設定時には、見事に新聞は対象品目に当選したわけです。朝日新聞の社説などに対する、財務省からの論功行賞（ろんこうこうしょう）と見られても仕方がないところです。

このように、朝日新聞が、消費税増税を推進しているのは、日本の将来や国民の生活のためを思ってのことではなく、目先の自分たちの利益を確保するためだけなのです。
決して騙されないようにしてください。

第五章

社会保険料は政治家と官僚に食い物にされている

年金を喰い物にする官僚たち

この数十年、日本の税金と、社会保険料はうなぎ上りに跳ね上がっています。

現在、税金と社会保険料の国民負担率は50％近くにまで達しています。江戸時代の年貢は、4公6民が平均だったとされており、江戸時代の年貢よりも、現代の税、社会保険料のほうが高い負担率となっているのです。

特に社会保険料は、税金と比べれば増額するときのハードルが低いので、この30年の間に、激増とも言えるような増え方をしています。

たとえばサラリーマンの健康保険料は、昭和の終わりには7％程度だったものが、平成には10％を超え、現在は介護保険を合わせると12％近くにまで激増しています。

もちろん、これらの社会保険料の値上げは、国民生活を圧迫しているわけです。

が、この社会保険料は、信じがたいことに、ごっそりと官僚や政治家に中抜きをされているのです。

現在の日本の歳出の中でもっとも大きいのは、社会保障関連費です。社会保障関連費は、30兆円を超えています。

深刻な少子高齢化社会を迎えている日本にとって、この社会保障関連費は非常に重要な支出です。

が、この社会保障関連費は、天下り官僚たちの格好の利権の温床になっているのです。

特に年金は、その代表格です。

今の年金制度は、いろいろ複雑になっていて、一般の人からはなかなかわかりにくいものになっています。

なぜもっと単純なわかりやすい仕組みにできないものか、と不審に思っている人も多いはずです。

なぜ年金がこれほど複雑な制度になっているのかというと、それはキャリア官僚の天下りが大きく関係しているのです。

今の日本の公的年金システムには、様々な機関がたくさんあります。

それぞれが別個の仕組みで成り立っています。

それが、年金や保険の制度を複雑化し、「消えた年金」などが生じる大きな要因となっています。

なぜたくさんの機関があるのかというと、機関をたくさんつくることで、キャリア官僚たちが天下り先を確保しているからなのです。

たとえば、公務員の社会保障を管理する団体には、地方公務員共済組合、国家公務員共済組合という組織があります。

いずれも、キャリア官僚が数名ずつ天下りしています。

国家公務員も地方公務員も、その年金の原資というのは、100%税金です。

だから公務員の年金を扱う団体というのは、当然のことながら税金を支出してつくられています。つまり地方公務員共済組合、国家公務員共済組合も、その原資は100%が税金なのです。

そこに天下りの席を用意しているのだから、税金で天下り先を確保しているということになります。

そして、この天下りの報酬は、決して安くないのです。一人あたり1000万円前後もするのです。

公的年金の管理などは、いろんな団体が乱立するよりも一元管理したほうが、効率的で公平になるはずです。これまでも何度も公的年金の複雑な制度を一元化するべき、という議論が起こっています。

しかし、多々の団体をつくることで、キャリア官僚たちが天下りの席を確保しているので、これらの団体を整理することができないのです。

そのために、日本の公的年金システム自体に巨大な無駄を生じさせているのです。

「確定拠出年金」という巨大利権

公的年金がいかにキャリア官僚に食い物にされているか、それを象徴するのが「確定拠出年金」です。

確定拠出年金というのは、個人が加入して、運用まで行う「公的年金」です。

ｉＤｅＣｏという名称で、国などがたくさん宣伝していますので、ご存知の方が多いはずです。

この確定拠出年金は、現在の公的年金だけでは、将来、年金額が不足するのは目に見えているので、個人個人で年金を積み立ててもらおうという趣旨でつくられたものです。加入は自由で、掛金も自分で自由に決められ、税制上の優遇措置もあります。

実は、この確定拠出年金には大きな落とし穴があります。

手数料が異常に高いのです。

まず、確定拠出年金に入った場合、加入手数料として2829円払わなければなりません。

また毎月の手数料も、数百円程度かかります。

実は、この手数料の大半は国の機関が分捕(ぶんど)っているのです。

加入手数料2829円と毎月105円の収納手数料を、「国民年金基金連合会」という機関が徴収しています。が、「国民年金基金連合会」に支払っているこの手数料は、なぜ必要なのかまったく意味がわからないものです。

確定拠出年金は、窓口となっている金融機関が、掛金の預かり、運用の手続きなどすべてを行ってくれます。「国民年金基金連合会」が行なう業務などは事実上ないのです。

にもかかわらず、加入時に3000円近くも取り、それにプラスして、毎月105円も取っているのです。

これは、ピンハネ以外の何モノでもありません。

確定拠出年金の利益の半分は手数料で取られる

確定拠出年金は、加入することによって平均的サラリーマンで1～2万円の節税になります。

しかし国と金融機関への手数料が年間数千円かかるので、節税額の半分くらいが手数料で消えてしまうのです。

しかも、確定拠出年金は給付時にも手数料がしっかりかかってきます。

給付時に取られる手数料は、給付一回につき440円です。

これは信託銀行に徴収されます。

この国がピンハネしている手数料の受取先である「国民年金基金連合会」というのは、厚生労働省などの天下り先になっている機関です。

つまりは、霞が関の官僚たちの天下り先にお金を回すために、「確定拠出年金」は手数料を異常に高く設定しているのです。

将来不足するであろう年金を補うために国民が自分で年金を積み立てるように作った制度でさえ、役人はピンハネしているのです。

しかも、一人ひとりから年間１２００円以上とっているわけだから、その額はかなり巨額となります。もし１０００万人が加入すれば、１２０億円になります。

こういう仕組みは、何も確定拠出年金に限ったものではありません。社会保障のあらゆる部分に及ぶのです。

霞が関の官僚たちは国民にとって必要な制度をつくるとき、必ず、ピンハネする仕組みをつくって、自分たちに利益を誘導するのです。

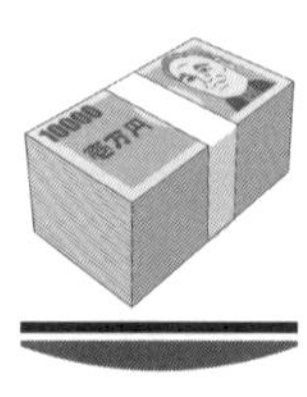

雇用保険、労災もピンハネされている

たとえば、雇用保険、労災などもそうです。

雇用保険、労災は、独立行政法人「労働政策研究・研修機構」、独立行政法人「労働者

健康福祉機構」などの運営費も支出しています。

この「労働政策研究・研修機構」「労働者健康福祉機構」というのは、労働保険業務を補完するような役割を持っています。

が、両機構とも、「別に厚生労働省がやればいいんじゃない？」という業務しか行っていないのです。ざっくり言えば、厚生労働省の業務の一部を、この「労働政策研究・研修機構」「労働者健康福祉機構」に振り分けているということです。

そして、この「労働政策研究・研修機構」「労働者健康福祉機構」も、厚生労働省の官僚の出向先、天下り先になっているのです。

つまりは、雇用保険、労災の財源を使って、官僚たちは天下り先を確保しているのです。

そもそも、雇用保険や、労災というのは、労働者の雇用補償や健康補償のためにあるものです。しかし、日本の雇用保険は非常にお粗末なものです。

先進国に比べれば、給付額や給付期間がはるかに短いのです。それが、中高年の自殺や、子供たちの貧困につながっているのです。

それも、雇用保険や労災の財源が、本来使われるべきところに使われずに、天下り官僚などに費消（ひしょう）されているからなのです。

なぜ雇用保険は役に立たないのか？

また雇用保険は、政治家の集票マシーンとしての機能も担わされており、本来の役割を失っています。

雇用保険というのは、解雇や倒産など、もしものときに自分を救ってもらうための保険です。この雇用保険が充実したものであれば、少々景気が悪くても、人々は生活にそれほど影響を受けないで済みます。

しかし、日本の雇用保険は、本当に困ったときには役に立たないのです。

サラリーマンにとって、雇用保険が必要な場面というのは、長年、勤務してきた会社を何らかの形で突然、辞めざるを得なくなったときのはずです。

昨今の経済情勢では、急にリストラされたり、急に会社が倒産したりすることは珍しいことではありません。

そして、雇用保険というのは、そういうときのためにあると言っても過言ではないはずです。

しかし、日本の雇用保険はそういうときには実はほとんど役に立たないのです。

たとえば、20年勤務した40代のサラリーマンが、会社の倒産で失職した場合、雇用保険がもらえる期間というのは、わずか1年足らずなのです。

今の不況で、40代の人の職がそう簡単に見つかるものではありません。なのに、たった1年の保障しか受けられないのです。

職業訓練学校に入れば支給期間が少し延びたりするなどの裏ワザはありますが、それもたかが知れています。だから、日本では、40代以降の人が失業すれば、たちまち困窮してしまうのです。

しかしほかの先進国の雇用保険は、決してこんなものではありません。

日本以外の先進諸国には、失業保険だけではなく、様々な形で失業者を支援する制度があります。その代表的なものが「失業扶助（しつぎょうふじょ）制度」です。

失業扶助制度というのは、失業保険が切れた人や、失業保険に加入していなかった人の生活費を補助する制度です。「失業保険」と「生活保護」の中間的なものです。

これらの制度は、イギリス、フランス、ドイツ、スペイン、スウェーデンなどが採用しています。

たとえばドイツでは、失業手当と生活保護が連動しており、失業手当をもらえる期間は最長18カ月ですが、もしそれでも職が見つからなければ、社会扶助（生活保護のようなもの）が受けられるようになっているのです。

他の先進諸国でも、失業手当の支給が切れてもなお職が得られない者は、失業手当とは切り離した政府からの給付が受けられるような制度を持っています。

その代わり公共職業安定所が紹介した仕事を拒否すれば、失業保険が受けられなかったり、失業手当を受けるためには、財産調査をされたりなどの厳しい制約もあります。

日本の場合は、失業すれば雇用保険は誰でももらえるけれど期間は短いし、雇用保険の期間が終われば、経済的には何の面倒も見てくれないのです。

雇用保険は政治家の集票アイテムになっている

なぜ日本の雇用保険がこのように役に立たないのかというと、実は、とんでもない「闇」

があるのです。

というのも雇用保険は、長期間働いた人にとっては非常に補償が薄い一方で、短期間働いてすぐ仕事を辞めた人には非常に厚い補償があるのです。

「半年働けば3カ月分の給料がもらえる」

というような制度になっているのです。

20年間働いてもたった1年間しかもらえない、つまり加入期間の5％しか補償がないのに、半年しか働いていない人は加入期間の50％も補償されるのです。

つまり雇用保険は、長年働いた人が突然職を失ったときには、ほとんど役に立たず、半年程度働いては辞めるような職を転々とする人が得をするようにできているのです。

あまりにもバランスが悪いと思いませんか？

半年しか働いてない人というのは、会社を辞めてもそうダメージはないはずです。もともと、すぐやめるタイプの働き方をしている人が多いので。

なのに、なぜ「半年働けば3カ月分もらえる」というような制度があると思いますか？

これは、実は農業を配慮したものなのです。

農家などでは、農閑期だけ雇われ仕事をする、という人がけっこういます。そういう人たちの中には、毎年、「半年働いて3カ月失業手当をもらう」という、夢のような生活を続けている人も多いのです。

また本来、雇用保険は、同じ職場に就職と退職を繰り返すような場合は、支給されないようになっています。

が、農業者の場合は特例があり、同じ職場に就職、退職を繰り返しても、何度も雇用保険がもらえるようになっています。だから、毎年、同じ職場で半年だけ働いて、雇用保険を毎年もらう、というような人がたくさんいるのです。

これは、もはや雇用保険とは言えませんよね？

普通に補助金です。

なぜこれほど農村が優遇されているかというと、農家には昔から自民党の支持者が多いからです。

しかも農村は、都市部に比べて人口あたりの国会議員の議席数が多く配分されています。そのため政党は、都市部のサラリーマンに何かをしてやるより、農村を優遇したほうが票に結び付きやすいのです。だから、雇用保険では「20年働いても1年分しかもらえないのに、半年働けば3カ月分もらえる」というようなアンバランスな制度になっているのです。

つまり、政治家が農家の機嫌を取る道具として、都会のサラリーマンがせっせと働いて積み立てた雇用保険が利用されているのです。

金持ちの社会保険料負担率はフリーターの1割以下

が、社会保険においてもっとも優遇されているのは、富裕層です。

これまでも、富裕層が様々な優遇をされてきていることを述べてきましたが、社会保険の分野でも同様のことが生じているのです。

社会保険料というのは日本の居住者であれば、一定の条件のもとで必ず払わなくてはならないものです。そして社会全体で負担することで、社会保障を支えようという趣旨を持っているものです。

だから、その国民全体が公平しなければならないはずです。

が、億万長者の場合、社会保険料はフリーターの10分の1というような事になっているのです。

今、国民の多くは、社会保険料の高さに苦しんでいます。

「日本は少子高齢化社会を迎えているのだから、社会保険料が高くなるのは仕方がない」

国民の多くは、そう思って我慢しているはずです。

しかし、しかし、富裕層の社会保険料の負担率は、驚くほど低いのです。5億円の収入ではわずか0・5％に過ぎないのです。

現在の社会保険料は、原則として収入に対して一定の割合で課せられています。たとえば厚生年金の場合は約8％です。

しかし社会保険料の対象となる収入には、上限があります。

たとえば国民健康保険の場合は、介護保険と合わせて約100万円です。つまり、いくら収入があろうが100万円以上の保険料は払わなくていいのです。

国民健康保険の上限に達する人は、だいたい年収1200万円程度とされています。ということは、1億2000万円の収入がある人の負担率は、年収1200万円の人の10分の1でいいのです。6億円の収入がある人は、50分の1でいいのです。収入が増えれば増えるほど、社会保険料は負担率は無料のように安くなっていくのです。

社会保険料の上限制度というのは、ほかの先進諸国にもありますが、欧米の先進諸国では、社会保険料の負担の多くを企業が担っています。企業が社会保険料の大半を担っているということは、間接的に株主が担っているということであり、富裕層が担っているということになります。

が、日本の場合、原則として各人が負担しなければならず、サラリーマンの社会保険料も企業と社員が折半となっています。フリーターなどの場合は、会社で社会保険に加入させてもらえないことが多く、全額自費で払っていることが大半です。

それを考えた場合、富裕層の社会保険料負担率が異常に低いということは、明らかに不公平だと言えます。

こういうことも、マスコミはほとんど報じることがありません。

第六章

待機児童問題が解消した恐ろしい理由

待機児童問題にも利権が絡んでいた

日本では長い間、「待機児童問題」が社会問題になっていました。

待機児童というのは、保育園に入りたくても枠がなくて入れない子供たちのことです。

2016年には、保育所の入園選考に落ちた保護者が「日本死ね」とSNSで投稿したことでも話題になりました。

この待機児童問題が近年、ほぼ解消していることをご存じでしょうか?

2017年には2万6000人もいた待機児童が、2022年4月の時点で2944人にまで減少しました。

これについてマスコミでは、「受け入れ施設が充実したことが要因」などと述べています。が、実はこの待機児童の減少には、とんでもない理由があるのです。

現在、待機児童問題が解消しつつあるのは、マスコミが言うような「受け入れ施設が充実したから」などではありません。もっと単純な理由であり、誰もが簡単に確認できる数理的な理由からです。

ざっくり言えば、単に「子供の数が減ったから」なのです。

日本の出生数は、90年代までは１２０万人を維持していましたが、２０００年に１２０万人を切りました。さらに２０１０年代には減少が加速し、２０１０年は１１０万人、２０１７年には１００万人を切って97万人となったのです。

待機児童が問題になった２０００年代以降、急激に出生数が減少していたのです。

この20年で20％以上減少したわけです。

子供の数が20％も減少したのだから、待機児童問題も解消するはずです。別に政治のおかげでも何でもないのです。

子供が減るのを待っていた政治家たち

この「待機児童問題解消」の背景には、恐ろしい日本の闇が隠されているのです。

というのも、ざっくり言えば、政府は出生数の減少を見越して「わざと待機児童問題を解決させなかった」のです。

現在、日本は深刻な少子高齢化問題を抱えており、これはあらゆる手を使ってでも改善させなければならないはずです。

待機児童問題はその少子高齢化の要因の一つなのに、政治家たちはそれをわざと解決しなかったのです。つまり政治は、出生数の減少を食い止めるどころか後押しをしたのです。

これには、実は保育所の利権が絡んでいます。

保育所というのは、その設置数が自治体によって調整されています。児童不足で保育所が経営難に陥らないように、自治体のほうが気を配っているのです。

それは、厚生労働省からの指示によるものです。

信じがたいことに厚生労働省は、2000年代初頭に自治体に対し、

「需要以上に保育所をつくらないように」

という通知を出しているのです。

「児童が不足して保育所がつぶれるのはまずい」

そして、そのためには、

「保育所が不足して待機児童が増えるのは構わない」

ということなのです。

この通知は非公開でも何でもなく、一般の人にも知られるものです。

その通知というのは、２０００（平成12）年3月30日に厚生労働省から全国の自治体に発せられた「保育所の設置認可について」という通知です。

この「保育所の設置認可について」の第1条「保育設置認可の指針」の冒頭には、次のような記述があります。

一　地域の状況の把握

都道府県及び市町村（特別区を含む。以下同じ。）は、保育所入所待機児童数をはじめとして、人口数、就学前児童数、就業構造等に係る数量的、地域的な現状及び動向、並びに延長保育等多様な保育サービスに対する需要などに係る地域の現状及び方向の分析を行うとともに、将来の保育需要の推計を行うこと。

これをざっくり言うと、児童の数を把握し保育所の需要を調べること、という意味です。

つまりは、各自治体は各保育所の児童数が足りなくなるような認可はしてはならないということです。

これは、実はとんでもないことです。

認可権のある自治体が、保育所の需給を調整しなくてはならない、つまりは、既存の保育所がある地域には、新規参入が非常にしにくい構造になっているのです。

またこの通知文の中には、「地域の現状及び方向の分析を行う」となっています。これは、「今の現状でなく、将来の需要も考慮しなさい」という意味です。

つまり、これは暗に、「将来、子供が減る恐れがある場合には、むやみに保育所をつくるな」と言っているわけです。

今の日本では、ほとんどの地域で、このままいけば将来子供が減ります。だから、ほとんどの地域で、保育所の認可はなるべくするな、ということです。

この通知こそが、待機児童問題を長い間、解決させなかった最大の要因だといえるのです。

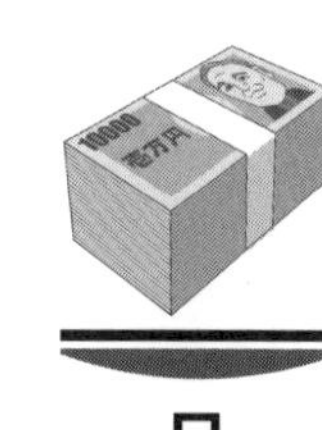

日本が死ぬのを待っていた安倍首相

つまり国は、待機児童を本気でなくす気はなかったのです。

たとえば待機児童問題の最盛期の２０１７年度の予算で、安倍内閣が保育士の待遇改善のために支出した額は、わずか４９２億円でした。

待機児童問題など、２０００億円も出せば簡単に解決したのです。２０００億円も出せば保育所は２０００カ所くらいつくれるので、待機児童問題など簡単に片付いたのです。

２０１７年度予算は全体で１００兆円近いので、２０００億円はそのわずか０・２％です。そのくらいのお金を出すくらいどうにでもなったはずです。

実際に、公共事業費だけで約６兆円が予算計上されているのです。

子供を預ける場所がなく、困っている若い夫婦が大勢いる中で、それを助ける前に、道路やダムなどの公共事業に巨額の予算を使っているのです。

今の日本で、少子高齢化がこれほど進んだ日本において、育児支援よりも優先してやらなければならない事など、そうそうなかったはずです。本気で待機児童問題を解決しようと思えば、そのくらいのお金は政府はいつでも出せたのです。

しかし、国は保育業界の既得権益を守るために、この問題を解決させてこなかったのです。

待機児童をゼロにするということは、保育所の受け入れ人数と入所希望の児童数が一致するということです。今の児童数に合わせて保育所をつくってしまうと、将来子供が減ったときに、保育所が余ってしまいます。それを避けるためには、ある程度の待機児童が出るのは仕方がない、ということだったのです。

安倍首相は、2017年2月の国会答弁で次のように述べています。

「2017年度末（2018年3月）に待機児童ゼロは非常に厳しい状況になっているのは事実」

安倍首相は2013年に首相に就任した当初に2017年度末に待機児童ゼロを目指す

と述べていました。その約束は反故（ほご）にされたわけです。

「今の待機児童問題は、子供が減ればいずれ解決する。今、急いですることはない」

ということです。

しかし、子供が減るということは、日本が衰退するということと同意義です。

今の日本の人口動態が続けば、数百年も経てば日本は滅んでしまいます。いや、あと20年も経てば、経済が大勢の老人を背負いきれず、破綻してしまうでしょう。

現在の日本の人口動態を見れば、どんな経済学者もこれは否定できないはずです。

だから、今の日本は、何を差し置いても、子育て環境を整え、子供を増やさなくてはならないはずです。

にもかかわらず、安倍首相は、子供が減るのを待っていたのです。

つまり、日本が死んでいくのを待っていたのです。

そして、彼らの目論見通り、子供が激減し、保育業界の利権は守れたということです。

保育業界の闇

この待機児童問題には、さらに深い日本の闇があります。

あまり知られていませんが、保育業界にも、巨大な利権構造があります。この利権構造には、自民党だけではなく共産党までもが絡んでいるのです。だから、この利権構造を、誰も壊すことができないのです。

陰謀論みたいな話になってきましたが、簡単にそのカラクリを説明します。

保育業界というのは、国や自治体から莫大な補助金を受け取っています。

一定の基準をクリアして、自治体から認可された「認可保育所」というのは、潤沢な補助金をもらっているのです。

国の基準では、0歳児を一人預かれば、毎月20万円以上の補助金がもらえることになっています。そして保育士は0歳児3人につき一人つけておけばいいことになっています。

保育士の給料はだいたい20～30万円です。ということは、0歳児が3人いれば、補助金から保育士の給料を差し引いても3～40万円の収入になるのです。

これにプラスして、自治体からもらえる補助金や保護者から徴収する保育料があります。だから児童を3～40人も抱えていれば、毎月数百万円～1千万円以上の収入になるのです。これは年間ではなく、「毎月」の話なのです。

しかも、認可保育所には、固定資産税や法人税がかかりません。だから、固定費も非常に安く済むのです。保育所をつくるためには、土地と建物が必要なので、初期投資は必要ですが、それが済めば、後はかなり美味しいビジネスなのです。

だから、逆に言えば、土地と金とコネを持っている人にとっては、これほど美味しい商売はないのです。

民間の保育所の経営者というのは、地主であったり、寺社であったりなど、その地域の有力者である場合が多いのです。彼らが、自分の広い土地に保育所をつくり、税金もほとんど払わず、補助金をがっぽりもらって潤(うるお)い続けてきた、そういう構造があるのです。

民間保育所というのは、社会福祉法人によって運営されていることが多いものです。

この社会福祉法人というのは、税制上、様々な優遇措置を受け、補助金も投入されているにもかかわらず、内部の経理関係は不透明になっています。外部からの監査や指導が、ほとんどないからです。

だから、報酬なども、理事長の意向で決められます。

保育士は、安い給料でこき使い、自分は多額の報酬を受け取るということも多いのです。実際、民間の認可保育所の保育士の給料が非常に安いという事は、たびたび問題になっています。

前述しましたように、認可保育所では、多額の補助金が出るので、保育士には十分な給料を払っても、十分におつりがくるようになっています。にもかかわらず、ほとんどの民間認可保育所では、20万円程度の給料しか払っていないのです（20万円以下の場合も多々あります）。

また民間の認可保育所には、非常に悪辣な人事システムを採っているところが多いのです。初任給は20万円程度で、普通の企業とあまり変わらないのですが、昇給がほとんどないようになっているのです。だから、新卒の就職先としては悪くありませんが、長く働くことはできないのです。

保育所としては昇給をしなくて職員が辞めても、若い人を雇えばいい、という発想になっているのです。そのため、保育士という仕事の魅力がなくなり、志望者が減っているのです。その一方、民間保育園の理事長の報酬の平均は1000万円を超えているのではないかと見られています。

そして人事権、運営権などは、事実上、設立者の手に委ねられています。だから、民間保育所を設立した人が、一族郎党を職員として雇い、理事長は代々その一族が引き継いでいる、というケースも非常に多いのです。実際に、民間の保育所の理事長には、2代目、3代目はざらにいるのです。

「既得権益」の典型的な例だといえます。

このように、民間の認可保育所というのは、非常にボロい商売なのですが、経営者たちにとって、一番の悩みは「新規参入」なのです。

少子高齢化が進み、この先、子供の数は減るばかりです。もし、公立の保育所や認可保育所が増えれば、将来を脅かされることになります。

そのため、いくら待機児童が増えようが、新規参入を必死に阻止しているのです。

つまり、待機児童問題というのは、既得権益問題なのです。保育園を経営する地域の有力者たちが、自分の既得権益を守るために、待機児童問題を引き起こしているのです。

そしてどうやって、既得権益を守ろうとしているのかというと、政治家に手をまわして、保育所の認可の基準を非常に厳しくしてもらっているのです。

待機児童がもっとも多かった当時、認可保育所をつくろうと思えば、大変な基準をクリアしなくてはなりませんでした。

原則として60人以上を子供を預からなければならないことになっていたのです。つまり、子供が60人集まらないところでは、保育所をつくってはならなかったのです（特別に認められれば20人以上でも可能）。

また、ほふく室、遊技室だけで面積200平方メートル、運動場も200平方メートル以上なければならないとされていました。これに、調理室、医務室などを揃えていなければならなかったのです。

この条件に合うような施設を、市街地でつくるのは、非常に困難です。建物はともかく、民間人がこれだけの広さの運動場を準備するのは、市街地では不可能でした。

また上記の施設を用意しても、必ず認可されるとは限りませんでした。最終的な判断は、自治体が行うのです。だから、自治体がノーと言えば、認可は絶対に受けられないのです。

既存の保育所経営者たちは、各自治体に「これ以上、保育所を増やさないように」と圧力をかけていますので、自治体は、なかなか保育所を認可しなかったのです。

現在は、この規制は若干緩められていますが、一番待機児童が多い時期には、このような厳しい規制があったのです。

保育業界は左右の政党と深い結びつきを持っている

そもそも、なぜ保育業界は、このように政治から守られているのでしょうか？

その答えも、しごく簡単です。

保育業界は、各政党の強力な支持母体となっているからなのです。

保育業界には、日本保育協会、全国私立保育園連盟、全国保育園協議会という3つの業界団体があります。

この3つの団体は、厚生労働省の部会などにも参加しており、政治的に強い力を持っているのです。

このうち日本保育教会、全国保育協議会というのは、自民党の支持母体です。日本保育協議会は全国社会福祉協議会の下部組織であり、全国社会福祉協議会自体が自民党の支持母体なのです。

つまりは、私立保育所業界というのは、自民党にベッタリなのです。

しかも、保育業界のたちの悪いところは、左翼系の政党との関係も深いのです。

公立の保育所は、左翼系の労働組合が入っており、その影響力が強いのです。東京の公立保育所は、共産党の労働組合の影響下にあり、他の地方の公立保育所は、自治労（全日本自治団体労働組合）の影響下にあります。

公立の保育士たちは、非常に待遇がいいのです。普通の民間企業よりも、各段にいい給料をもらっています。

彼らはその境遇を守りたいがために、保育所の新規参入を嫌っているのです。保育所ができすぎて、将来、公立保育所がつぶれるようになると困るからです。

また自治体の中には、公立保育所を民間に委託しようという動きもありますが、公立保育士たちの組合の反対運動で、ことごとくつぶされているのです。もし、公立保育所を民間に委託できれば、予算の余裕ができて、保育所を増設できるにもかかわらずです。

つまり私立保育園の経営者と公立保育園の保育士は、利害が一致しているのです。

普通、自民党と左翼系の政党（共産党など）は、意見が対立することが多いものです。しかし、こと保育行政に限っては、両者はがっちりとタッグを組んで、保育業界の既得権益を守っているのです。

つまり、日本の政界全体が、保育業界を守ろうとしているのです。その犠牲になっているのが、待機児童なのです。

現在の認可保育所における高い設置基準は、子供たちを守るためのものではなく、保育業界を守るためにあるということです。

もし、子供たちを守るためにあるというのなら、その基準をクリアしていない無認可保育所を許すべきではないし、無認可保育所の存在を認めないということになれば、行政は子供たちを全部、収容できるように認可保育所をつくらなければなりません。

行政はそれをせずに、待機児童を生じさせてしまっています。

認可保育所に入れれば、子供たちは手厚い保護を受けられますが、入れなければ安全はまったく保障されません。

実際に認可保育所に入っていない子供は、しばしば事故に巻き込まれています。

2016年3月には東京日本橋の無認可保育所で、1歳の男の子の死亡事故が起きたのをご記憶の方も多いはずです。

これにとどまらず、無認可保育所での死亡事故はこれまでにも数多く起きています。保育所での死亡事故の7割は、認可外の保育所で起きているのです。

認可外の保育所に入っている児童は、保育児童全体の1割程度です。つまり1割しかいない認可外保育所の児童が、死亡事故の7割を占めているのです。認可保育所の20倍以上の確率で死亡事故が起きているのです。

認可外保育所が、認可保育所に比べていかに危険な場所であるか、ということです。認可外保育所での死亡事故などが起きたとき、決まって保育所のずさんな保育実態が指摘されます。保育士の人数が少なすぎる等々です。

が、認可外保育所で、事故が多発する最大の理由は、「補助金が一切、出ていないこと」なのです。

保育事業というのは異常な仕組みになっており、認可されれば、先ほども述べたような手厚い補助金がもらえますが、認可されなければ、補助金はまったく出ないのです。その差は、天国と地獄です。最近では、認可外でも一部、補助金が出るようになったり、自治体が独自の補助金を出したりしています。が、待機児童がもっとも多い時期には、認可外保育所にはまったく補助金が出されていなかったのです。

認可外保育所は、当然のように、経費を削るために使用する人数を制限することになります。目が行き届かなくなり、安全が脅かされるということです。

なぜ認可外保育所にもある程度の補助金を出すなどして、「子供の安全な場所」を確保しなかったのかと思いませんか？

なぜ異常に高い基準をつくって、保育所の数を制限し、無認可保育所に預けざるを得ない子供たちを生じさせてきたのか、ということです。

無認可保育所の事故で死亡した児童というのは、保育所の過失で死亡したのではありません。既得権益にしがみつく保育業界に殺されたのであり、保育業界を擁護してきた自民党、共産党の議員たちに殺されたのです。

第七章

〝寝たきり老人〟の数断トツの世界一

新型コロナワクチンに関するNHKの捏造報道

これもほとんど報じられることがありませんが、日本の寝たきり老人の数は、推定で世界ワースト1位です。

また高齢者における寝たきりの割合も、おそらく世界ワースト1位です。

なぜ「おそらく世界ワースト1位」かというと、寝たきり老人の数を世界的に調査したデータで近年のものがないからです。昭和63（1988）年のデータでは日本の老人の寝たきり率は、アメリカの約5倍、イギリスの約3倍、デンマークの約6倍で断トツの世界一でした（厚生科学研究特別研究事業「寝たきり老人の現状分析並びに諸外国の比較に関する研究」データより）。

近年はこの手の調査がありませんが、各国の医療事情に大きな変化はなく、日本の寝たきり老人の数は減っていないので、今でも日本は断トツの世界一だと推定されるのです。日本では寝たきり老人が、300万人以上いると推計されます。

令和2年の介護保険事業状況報告（厚生労働省）では、施設に入所している寝たきり老人だけで、300万人以上おり、自宅等で寝たきりになっている人を含めればさらにその数は増えます。

これほど寝たきり老人のいる国は、世界中どこにもありません。

というより、欧米の先進国では、医療機関などには「寝たきり老人」はほとんどいないとされています。欧米ではそもそも「寝たきり老人」という概念がないのです。日本が高齢者大国だということを考慮しても、この数値は異常値なのです。

この「寝たきり老人の数」こそが、日本医療制度の欠陥の象徴とも言えるのです。

なぜ、日本にこれほど寝たきり老人がいるのか、というと、日本の医療現場では、「とにかく生存させておくこと」が善とされ、点滴、胃ろうなどの延命治療が、スタンダードで行われているからです。

自力で食べることができずに、胃に直接、栄養分を流し込む「胃ろう」を受けている人は、現在25万人いると推計されています。

これらの延命治療は、実は誰も幸福にしていないケースも多々あります。寝たきりで話すこともできず、意識もなく、ただ生存しているだけ、という患者が多いからです。

親族などが、もう延命は望んでいないという場合であっても、日本の場合、一旦、延命治療を開始すると、それを止めることが法律上なかなか難しいのです。

「自力で生きることができなくなったら、無理な延命治療はしない」

ということは、世界ではスタンダードとなっています。日本がこの世界標準の方針を採り入れるだけで、医療費は大幅に削減できるはずです。

にもかかわらず、なぜ日本がそれをしないかというと、この延命治療で儲かっている民間病院が多々あるからです。そういう民間病院たちが圧力をかけ、現状の終末医療をなかなか変更させないのです。

「もう死ぬということがわかっているときには安らかに死にたい」

と多くの人が思っているはずです。

しかし、現在の日本の医療システムはそれを許さないのです。脳波があり、心臓が動いている限りは、あらゆる装置を使って一日でも長く生きさせようとするのです。

それは、本人のためでも家族のためでもありません。ただただ民間病院の利益のためなのです。

日本では、民間病院の利益が異常に守られています。その実情も、あまり報じられることはないのです。

社会保障関連費でもっとも大きいのは医療費

現在、日本の医療システムは「末期的」と言えるほど腐食しています。

あまり知られていませんが、税金で支出されている社会保障関連費のうち、これまでもっとも多かったのは「医療費」なのです。

医療費のほとんどは、社会保険で賄われていると思っている人も多いでしょう。しかし、それは違います。日本の医療費は、社会保険だけでは賄い切れておらず、税金から補填されているのです。社会保障関連費の中で、税金からの補填がもっとも多いのは、医療費なのです。

国の予算の中で一番大きいのは、社会保障関連費ということになっています。2019年度の予算では31兆6000億円です。

社会保障関連費というと、年金や生活保護などをまず思い浮かべる人が多いようですが、これまで社会保障関連費の中でもっとも大きい予算を食っていたのは医療費なのです。

高齢化の進行により年金の割合が増え、現在は医療費と年金はほぼ同額になっていますが、長い間、医療費のほうが年金よりも大きかったのです。

また、生活保護に使われている予算の約半分は医療補助費です。生活保護受給者は、医療費が無料であり、生活保護受給者の医療費は「医療補助費」として支出されます。この医療補助費が、生活保護費の約半分を占めるのです。

だから社会保障関連費のうち、医療費と医療補助費を合わせれば、年金よりも大きい金額になり、実質的には現在も医療費がもっとも大きい項目なのです。

このように日本国民は、世界でも高い医療費を払っていると言えます。

2019年度の社会保障関連費内訳（財務省2019年度予算資料より）

医療費　約12兆円
年金　約12兆円
福祉（生活保護など）　約4兆3000億円（このうち約半分は医療補助費）

定義によって若干、違ってきますが、日本の財政支出のうち、もっとも大きいのは、医療費だと言えるのです。

正当な医療費が不足し、社会保険料だけでは賄えず、そのために税金から支出されているのであれば、国民として仕方がないと思うでしょう。

しかし、日本の医療の場合、異常なシステムがあり、一部の病院、医師だけが法外な高収入を得る仕組みになっています。そして、その一部の医療関係者のために、日本の医療費全体が引き上げられ、国民の税金を浪費しているのです。

数年ほど前まで、「日本は先進国の中で医療費が著しく低い」というようなことが言われていました。

確かに数年前までのデータでは日本の医療費（ＧＤＰ比）はＯＥＣＤの平均よりもかなり低いものとなっていました。

日本医師会なども、このデータを盛んに用いて「日本は医療費が安すぎる。もっと医療費を上げるべき」というプロパガンダを行っていました。日本医師会というのは開業医の団体です（詳しくは後述）。

しかしＯＥＣＤの統計では、ほかの国は介護などの費用も医療費に含めていたのに対し、日本では含めていませんでした。それが発覚したため、2011年まで遡及して集計をやり直したのです。

介護費などを含めて再集計すると、日本はOECDの中では6番目という「かなり医療費が高い国」ということが判明したのです。

これ以降、日本医師会は「日本は医療費が安いので医療費を上げろ」というキャンペーンは行わなくなりました。

ところで、新型コロナ禍によって、日本の医療のいろいろな面における脆弱さが明らかになりました。

日本人は、日本の医療は世界最高レベルと思っていたはずです。

しかし新型コロナ禍では、当初、日本は欧米各国よりもはるかに感染者数、重症者数が少なかったにも関わらず、医療危機に瀕してしまいました。

その原因は、すべて日本医療システムの腐食にあるのです。

病床数は世界一なのにICUは先進国最低レベル

新型コロナ禍で、なぜ日本では感染者を入院させられるベッドが不足していたのでしょうか？

実は、日本では感染症患者を入院させるための病院が異常に少ないのです。

日本には、感染症患者を入院させるための指定医療機関というのがあります。

この医療機関は、新型コロナ禍当初は全部で351でした。そして感染症患者用の病床は、全部で1758床しかありませんでした。

これでは、数万人規模で感染症が発生したら、まったく手に負えなくなります。新型コロナは中国・武漢で数万人規模で感染していましたので、新型コロナがまともに入ってきたら、一瞬で病床は埋まってしまいます。

厚生労働省や各都道府県は、最初からそのことがわかっていたのです。

だから各保健所は、必死にPCR検査を絞り、「感染患者の数」を絞っていたわけです。

実は日本の病床数は、人口あたりでは断トツの世界一です。

人口1000人あたりの病床数

日本	13・0
韓国	12・4
ドイツ	8・0
フランス	5・9
アメリカ	2・9
イギリス	2・5

（2018年・OECDデータより）

このデータを見れば、日本は病床の数が異常に多いことがわかるはずです。

アメリカやイギリスの4倍もあるのです。

しかし日本では、病床数は多いのにICU（集中治療室）が少ないのです。だから日本では新型コロナに対しては、最初から軽症患者はほぼ黙殺されてきました。軽症患者まで受け入れていると病院が持たないからです。
以下が、主な先進国の人口10万人あたりのＩＣＵの数です。

アメリカ	34・7
ドイツ	29・2
イタリア	12・5
フランス	11・6
韓国	10・6
スペイン	9・7
日本	7・3
イギリス	6・6

（２０２０年・ＯＥＣＤデータより）

日本は、韓国はおろか大量に死者を出しているスペインよりも少ないのです。ＯＥＣＤの加盟国の中では下から2番目という低さです。

病院が異常に多く、医者が異常に少ない

もう一つ、日本医療には、非常にいびつなデータがあります。

それは、病院の数と医者の数です。

日本は異常に病院の数が多いのです。

日本には９０００近くの病院、診療所があり、これも断トツの世界一なのです。世界第2位はアメリカですが、６０００ちょっとしかないのです。

アメリカは日本の2倍以上の人口を持つので、これは異常値です。

日本の人口１００万人あたりの病院数は約67です。欧米の先進国の場合、もっとも多いフランスでも約52であり、アメリカなどは18しかありません。

つまり、人口割合で見ると日本はアメリカの約3倍の病院があるのです。

日本ではこれほど病院が多いにもかかわらず、国公立病院が異常に少ないという特徴もあります。国公立病院は日本の病床数の20%程度しかないのです。先進諸国では、病床の大半が国公立病院だというのにです。

なぜ民間病院が多いのかというと、民間病院には税制優遇措置や、診療報酬の優遇措置などがあり、「儲かるから」です。どれほど優遇されているかは後ほど詳しくご説明します。

その一方で、医者の数は非常に少ないのです。

ＯＥＣＤの統計発表によると、日本の医師数は１０００人あたり2・4人です。ＯＥＣＤ加盟国全体の平均は3・5人であり、日本は平均値よりかなり少ないのです。ＯＥＣＤ36カ国の中で32番目であり、つまり下から5番目なのです。

「病院は多いのに医者は少ない」

という、このいびつな医療体制が、新型コロナ対策においても現場の医者の負担を大きくさせていたのです。

日本の医療は〝開業医ファースト〟

日本の医療がこのようにいびつになっている最大の原因は、「開業医の利権」のためなのです。

医者には大きく分けて、「開業医」と「勤務医」の二種類があります。

日本の場合は開業医の数が異常に多く、全体の３割にも達するのです。また病院の９割は民間病院であり、その大半が開業医なのです。

そして日本の医療では、医療費の多くの部分が開業医に配分されてきました。

だから日本ではＩＣＵを設置したり、新型コロナ感染者を受け入れる準備ができていなかったり、ＰＣＲ検査機器が不十分だったりしたのです。

しかも、開業医の収入は異常に高いのです。

厚生労働省の「医療経済実態調査」では、開業医や勤務医の年収は、近年、おおむね次のようになっています。

開業医（民間病院の院長を含む）　約３０００万円
国公立病院の院長　約２０００万円

勤務医 約1500万円

このように開業医というのは、国公立病院の院長よりもはるかに高く、普通の勤務医の倍もの年収があるのです。

国公立病院の院長になるということは大変で、高い能力を持ち、相当の働きをしないとなれるものではないはずです。

が、その国公立病院の院長よりも、開業医の家に生まれて実家を継いだだけの医者のほうがたくさん報酬をもらっていたりするのです。

なぜこういうことになっているのかというと、日本全体の医療費の多くが開業医に流れるようになっているのです。

たとえば同じ診療報酬でも、公立病院などの報酬と民間病院（開業医）の報酬とでは額が違うのです。同じ治療をしても、民間病院のほうが多くの社会保険報酬を得られるようになっているのです。

ほかにも開業医は高血圧や糖尿病の健康管理をすれば報酬を得られるなどの特権を持っています。

また最近ではほとんどの国公立病院には原則として、

「かかりつけ医の紹介状なしでは受診できない」

「もし紹介状なしで受診する場合は初診料が５０００円程度上乗せされる」

という制度があります。

国民は病気をすれば、まず近くの開業医に行かなければならないという仕組みになっているのです。

日本の医療システムというのは、とにかく開業医の利権を守るようにつくられているのです。

民間病院が異常に多い

前述しましたが、日本の病床数の約80％は民間病院にあります。しかし国公立病院の病床は約20％しかありません。

これは先進国としては異常なことです。イギリス、ドイツ、フランスなどの先進国では

先進諸国の公的病院と民間病院の病床数の内訳　図7

	公的病院	民間病院
日本	約20%	約80%
アメリカ	約15%	約85%（うち非営利70%）
イギリス	大　半	一部のみ
フランス	約67%	33%
ドイツ	約50%	約50%（うち非営利33%）

「諸外国における医療提供体制について」厚生労働省サイトより

ほとんどが、病床の半分以上が国公立病院なのです（図7）。

アメリカは国公立病院の病床数はそれほど多くはありませんが、しかし病床の大半は教会や財団などが運営する「非営利病院」です。

日本の開業医の病院も表向きは「非営利病院」となっています。が、日本の非営利病院の大半は、「実際は非営利ではないもの」がほとんどなのです。

私大の附属病院や日本赤十字病院など、日本にも「本当の非営利の民間病院」もあります。しかし大半は、事実上の個人病院を形式の上だけ非営利病院にしているのです。

相続税対策などで表向きだけは「医療法人」と

いう組織にしていますが、実際は創立者の医者が経営権を握っていて、その医者の一族が代々の理事を務めるというような状態になっているのです（詳しくは後述）。

そういう医者の子供は、一族の利権を守るために医者になることが多く、医者という職業は半ば世襲化しているのです。

「医者の息子が何年も浪人して医学部に入った」

というような話を、どこかしらで聞いたことがあるでしょう？

そのカラクリは、こういうことなのです。

「日本医師会」……日本最強の圧力団体

なぜ開業医の利権が、これほど巨大なものになっているのでしょうか？

実は、開業医は、「日本医師会」という強力な圧力団体を持っているのです。

日本医師会は、日本で最強の圧力団体と言われてますが、この団体は医者の団体ではなく、開業医の団体なのです。

日本医師会という名前からすると、日本の医療制度を守る団体のような印象を受けますが、実際は開業医の利権を守る団体なのです。

現在、日本医師会は、「開業医の団体」と見られるのを嫌い、勤務医への参加を大々的に呼びかけており、開業医と勤務医が半々くらいになっています。

が、勤務医が日本医師会に入るのは、医療過誤などがあったときの保険「日本医師会医師賠償責任保険」に加入するためであることが多いとされています。勤務医の大半は、「日本医師会が自分たちの利益を代表しているわけではない」と考えているようです。また日本医師会の役員は今でも大半が開業医であり、「開業医の利益を代表している会」であることは間違いないのです。

この日本医師会は自民党の有力な支持母体であり、政治献金もたくさんしているので、とても強い権力を持っているのです。

そのため、開業医は、様々な特権を獲得しているのです。そして、その特権を維持し続けているのです。

日本の医者が少ないのは開業医の利権を守るため

日本で医者の数が少ないのも、日本医療の「開業医優遇の流れ」が大きく影響しているものと考えられます。

「医者の数が多くなれば開業医の所得シェアが下がる」わけです。

日本医師会は医学部の新設に強硬に反対してきました。

その理由は、「少子高齢化によっていずれ医者が余るようになるから」だということです。

医者が余れば無能な医者が淘汰されればいいだけの話です。実際に、ほかの業種ではそういう健全な競争が行われているのです。しかし、そういう競争が行われた場合、金の力で医者になった開業医のバカ息子たちが最初に淘汰されるのは目に見えているので、日本医師会は頑強に反対しているのです。

自分たちの利益のことしか考えていないことは、明白なのです。

そして、厚生労働省も日本医師会の圧力に屈してしまうのです。

だから、医者が少ないのがわかっていながら医学部の新設がなかなか認められず、医学部の定員もなかなか増えないのです。

このように、「開業医一族」への超優遇政策が行われているため、実際に、開業医の子供の多くは医者になろうとします。

日本の医学部の学生の約30％は、親が医師なのです。

「開業医の子供はだいたい医師になる」という図式が数字の上でも表れているのです。

しかも開業医の子供には、「優秀な子」はそれほどいないのです。それはデータにも表れています。

というのも親が開業医をしている医学部学生の約半数が私大の医学部です。

親が開業医以外の医学生の場合、国公立大学が80％を超えていますので、「開業医の子供が私大の医学部に入る割合」は異常に高いということになります。

学力の偏差値でいうと、国公立大学のほうが私大よりも平均するとかなり高くなっています。私大の医学部でも偏差値が非常に高いところもありますが、全体をならせば国公立のほうがかなり高いということになります。

私大の医学部というのは、6年間で3000万円以上かかるとも言われ、金持ちでないと行けないところでもあります。

「開業医の子供が金を積んで医者になる」

という図式が明確に表れているわけです。

開業医の税金には特別割引制度がある

筆者が開業医優遇システムに気付いたのは、税金からです。というのも開業医は、税金に関しても非常に優遇されているのです。

開業医の場合、社会保険診療報酬が5000万円以下ならば、70%程度を自動的に経費にできるということが認められているのです。

簡単に言えば、開業医は収入のうちの30%だけに課税をしましょう、70%の収入には税金はかけませんよ、ということです。

図8

開業医の税金の特例

社会保険収入	算　式
2,500万円以下	社会保険収入×72%
2,500万円超　3,000万円以下	社会保険収入×72%＋　500千円
3,000万円超　4,000万円以下	社会保険収入×62%＋2,900千円
4,000万円超　5,000万円以下	社会保険収入×57%＋4,900千円

開業医の税制優遇制度は、図8の通りです。

たとえば、社会保険収入が5000万円だった場合は、経費は次のような計算式になります。

5000万円×57%＋490万円＝3340万円

→自動的に経費になる

この3340万円が自動的に経費として計上できるのです。収入の約67%にもなります。

つまり、実際には経費がいくらかかろうと、この医者は収入の67%を経費に計上できるのです。

本来、事業者というのは（開業医も事業者に含まれる）、事業で得た収入から経費を差し引き、その残額に課税されるものです。

しかし開業医だけは、収入から無条件で約70％の経費を差し引くことができるのです。実際の経費がいくらであろうと、です。

そもそも医者というのは、それほど経費はかからないのです。特に設備がそれほどない小さな医院などはそうです。

医者というのは、技術職であり、物品販売業ではありません。材料を仕入れたりすることはほとんどないので、仕入経費などはかからないのです。だから、基本的にあまり経費がかからないのです。

普通に計算すれば、経費はせいぜい30～40％くらいです。多くても50％くらいです。にもかかわらず、約70％もの経費を自動的に計上できるのです。税額にして、５００万円～９００万円くらいの割引になっているといえます。

開業医が儲かるはずです。

この制度は一部の批判を受け、縮小はされましたが、廃止されることなく現在も残っています。上記の税制は、縮小された後のものです。つまり、以前はもっと優遇されていたのです。

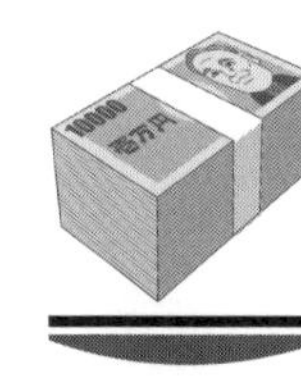

開業医は相続税を払わずに相続できる

開業医の優遇制度については、さらに極めつけの話があります。

それは開業医は、相続税も事実上かからない、ということです。

開業医は日本の金持ちの代表的な職業なので、相続税もそれなりに負担してほしいところです。

しかし実際には、開業医はほとんど相続税を払っていないのです。別に脱税しているわけではないのです。制度上、相続税がかからないようになっているのです。

開業医というのは、市街地の土地など莫大な資産を持っていることが多いものです。収入が多いのだから、資産も多くて当たり前です。駅前の病院などは、大変な資産価値を持つ場合も少なくないのです。

これらの資産は、無税で自分の子供などに引き継がれるのです。

そのカラクリは、こうです。

開業医は、自分の病院や医療施設を、医療法人という名義にします。

医療法人というのは、医療行為をするための団体という建前です。学校法人や、財団法人などと同じように、大きな特権を与えられています。

開業医がこの医療法人はつくるのは、そう難しいことではないのです。

適当に役員名簿などを作成して申請すれば、だいたい認められます。

個人経営の病院と、医療法人の病院がどう違うかというと、実際のところは全然変わらないのです。医療法人の病院は、ただ医療法人の名義を持っているというだけです。

医療法人というのは、建前の上では「公けのもの」という性質を持っています。しかし実際には、その医療法人をつくった開業医が実質的に支配しているのです。

つまり、医療法人というのは、事実上、特定の開業医が経営しているのです。

にもかかわらず、医療法人には相続税がかからないのです。

というのも、医療法人が持っている病院や医療機器というのは、あくまで医療法人の所有という建前があります。実質的には、開業医の所有物なのですが、名目的には医療法人の持ち物なのです。

だから、実質上の経営者の開業医が死んで、息子が跡を継いだとしても、それは単に医療法人の中の役員が交代しただけという建前になるのです。

名義上は、息子は父親の資産を何ひとつ受け取っていない、ということです。実質的には、息子は父親の財産をすべて譲り受けているにもかかわらず、です。

という具合に、開業医は相続の面でも非常に恵まれているわけです。

5浪、6浪をして医学部を目指しているという、医者のバカ息子の話を時々聞いたことがあるでしょう?

これは、6浪したって開業医になれば、十二分に元が取れるからなのです。

開業医優遇が日本医療を蝕む

「勤務医より開業医のほうがはるかに儲かる」

という事実は、日本の医療制度を歪めたものにしています。

現在、日本では、国公立病院の勤務医が不足しているという現状があります。特に、救急医療などの人々の生命に直結する分野で、医者が足りていないのです。

これが、日本の新型コロナ対策を逼迫させた大きな要因の一つなのです。

そして、このことをせんじ詰めれば「開業医優遇制度」に行き着くのです。

開業医に集中しているお金を、医者全体に分散すれば、勤務医になる人も増えるはずです。勤務医の人手不足も解消されるはずです。

国民の福祉に必要な業務に対して、過大な労力を強いられている人に、優遇制度を敷くというのは、筆者としてもまったく文句を言うつもりはありません。

たとえば、夜間の急患を受け入れる小児科の開業医や、医者のいない僻地で開業医を細々と営んでいるような医者たちに対して、一定の優遇制度をつくることは、まったくやぶさかではありません。

むしろ、そういう優遇制度はもっと拡充すべきだと思っています。

しかし、開業医全体を一律に優遇している今の医療制度は、日本の医療を確実に歪めているのです。

本当はそれほど必要でない医療機関がいつまでも残っていたり、本当は医者に向いていない人が親の跡を継いで医者になってしまう、ということが、日本の医療では多々見られます。

それは、元をただせば、この開業医優遇制度に行きつくのです。

もし開業医が、優遇制度によって得ている収入を他に分散すれば、国公立病院の医者不足などすぐに解消するのです。

「寝たきり老人」が利権となっている日本

寝たきり老人の話に戻しましょう。

日本の医療費が、世界的に非常に高いということを前述しました。

その医療費の内訳をみてみると、一番大きいのが入院費です。医療費の約40％が入院費に割かれているのです。

そして日本では患者の入院日数の平均が、世界で一番長いのです。

日本の入院日数の平均は約28日であり、2位の韓国よりも10日近くも長いのです。また世界の中で、日本と韓国の入院日数は突出して高くなっており、世界のほとんどの国の入院日数の平均は10日以内で、日本はなんと3倍も長いことになります。

また日本の医療費の6割は65歳以上の高齢者が使っています。65歳以上の人口は3割なので、人口3割の高齢者が医療費の6割を使っているのです。

中でも75歳以上の高齢者が高齢者医療費の大半を使っており、日本の医療費の約4割は、75歳以上の高齢者によるものなのです。75歳以上の人口は約15%です。つまり、人口15%の75歳以上の高齢者が、医療費全体の4割をも費消しているのです。

日本の医療費の多くは高齢者が使っているのです。

そしてその高齢者の医療費の大半が入院費なのです。

これらのデータから言えることは、日本は世界の水準を大きく超え、高齢者を病院に縛り付けており、それが医療費の増大を招いているという事です。

冒頭でご紹介したように、「寝たきり老人」という概念は、先進国では日本にしかないということをご紹介しましたが、それは医療費のデータでも明確に表れているのです。

そして、なぜ日本は入院日数が世界的に異常に長いのか、なぜ日本で寝たきり老人がこんなに多いのか、ということは、それが民間病院の利権になっているからなのです。

前述したように、日本では高齢者であっても「延命治療」がスタンダードになっており、法律上、一旦、延命治療を開始すれば、途中でそれを止めることができにくくなっています。

これは、患者にとっても家族にとっても社会にとって決していいことではないのに、まったく改善されません。

それは、なるべく長く高齢者を病院に縛り付けることが、民間病院の利権になっているからなのです。

日本の民間病院は、老人を長期入院させることによって、儲けを大きくしているのです。高齢者は、医療費の自己負担額が少ないので、患者としても入院しやすい状況にあります。それをいいことに、民間病院は高齢者医療で楽に稼いでいるのです。

そして高齢者医療に異常の多くの医療資源が使われているので、救急医療や感染症対策などに回す費用が足りなくなってしまっているのです。

つまりは日本の医療は、「開業医ファースト」になっているから、医療費は高いのに、肝心なときに役に立たないのです。

第八章

電力会社の闇

関西電力の不正経理

2021年7月、関西電力が課税漏れで税務調査を受けていたことが発覚しました。

この課税漏れ事件は、非常に悪質であり、電力会社の闇を象徴するようなものでした。が、一般の人には、課税漏れと言われてもなかなかピンと来なかったはずです。

なので、この課税漏れ事件とはどういうものだったのか、わかりやすく解説したいと思います。

その課税漏れとは次のようなものです。

関西電力は東日本大震災後の経営不振で電気料金の値上げをしました。が、値上げするには国の了解を得なくてはなりませんので、同時に役員報酬も減額しました。役員報酬が高いまま消費者にだけ負担を増やすということは、表向きはできないからです。

しかし、当時の関西電力の会長だった森詳介氏が主導し、一部の役員を退任後に嘱託などとして関西電力に再任し、その報酬で減額分を補う仕組みをつくりました。

この仕組みは、取締役会にもはかられず、会長と側近のみで秘密裏に決められ、秘密裏に実行されたのです。

そして2016年度から2019年度までに、森氏ら元役員18人に総額約2億6000万円が支払われました。

この「裏役員報酬」は、嘱託費として通常の費用として処理されていました。が、本来は役員報酬にあたるものです。

役員報酬はあらかじめ決められた金額しか、会社の税務上の経費にはできません。もし事前に決められた以上の役員報酬を払った場合、本来は会社に税金が課せられるのです。関西電力はその税金を払っていなかったために、追徴課税されたのです。

そしてこの行為は、悪質な課税逃れと認定され、重加算税を課せられました。重加算税というのは、うっかりミスではなく、故意に悪質な課税逃れをした際に課せられるもので、この額が大きければ、刑事事件として起訴されます。

いわゆる脱税です。

つまり関西電力は、ほぼ脱税にあたる行為をしてきたということです。

それにしても表向きの役員報酬は下げておいて、裏でその分を補填するというのは、本当に汚いやり方です。

電力会社には、こういう闇の部分が多々あるのです。

電力会社の言い値で決められる電気料金

昨今、電気料金が非常に値上がりしています。

この電気料金にも、実は不透明な部分が多々あるのです。

そもそも日本の電気料金というのは、非常に曖昧な方法で決められています。

もちろん電力料金は、電力会社が勝手に決められるものではありません。電力会社が政府に申請し、政府が認めた料金が、電気料金ということになります。

しかし、この電気料金は、事実上、電力会社の言い値になっているのです。

電気料金の算定基準は、「総括原価方式」という方法が採られています。

これは、電力会社が、税金、燃料費、人件費、設備取得費用、株主への配当金なども、費用として算出し、これを「電気料金の原価」ということにします。

電力会社は、どれだけ設備投資をしても、人件費をかけても、必ずそれを支払えるだけの料金設定がされるのです。

また電力会社の料金基準で、よく批判されるのが、「株主の配当金まで原価に入れている」ということです。

これは普通の企業の会計とは逆です。

普通の民間企業の場合、売上から原価を差し引いた残りが、利益ということになります。そしてその利益の中から、株主への配当などが行なわれます。

しかし電力会社の場合は、原価の中にあらかじめ配当金まで含められています。だから電力会社の配当というのは、企業の経営努力による成果ではなく、あらかじめ決められた費用なのです。

つまり、電力会社というのは、かかった費用が必ずペイできるような仕組みになっており、どれだけ費用をかけてもいいという特権を持っているのです。

もちろん、政府もある程度は監視します。しかし、電力会社のような巨大組織の経費について、いちいち細かい査定は不可能です。

だから、ほぼ電力会社の要望通りの額が、電気料金として認められることになります。先にご紹介した関西電力の裏役員報酬なども国のチェックをすり抜けて原価として計上され、電気料金に上乗せされていたわけです。

このような電力会社の言いなりになって決められている電気料金は、当然のことながら割高になります。

実は日本の電力料金というのは、世界的に非常に高いのです。

日本の電気料金は先進国と比較した場合、日本はかなり割高であることがわかります。

ウクライナ戦争以降は、ロシアの天然ガスが使えなくなったヨーロッパ諸国の電気代は高騰しており、あまり参考にはならないので、ウクライナ戦争以前の2016年の先進5カ国の比較データを見てみたいと思います。

これを見ると、家庭用電力の場合、日本はドイツに次いで二番目の高さだということがわかります。

ドイツは、日本よりもかなり高いように見えますが、ドイツの場合、国の政策として、再生可能エネルギーの開発費を捻出するため、その分の税金を電気料金に上乗せしています。その上乗せ分が、電気料金の約半分を占めるのです。

電気料金の国際比較（2016年） 単位1kWあたりアメリカ・セント

	家庭用	産業用
日本	22.2	15.8
アメリカ	12.6	6.8
イギリス	19.9	12.5
フランス	18.3	10.8
ドイツ	33.0	14.1

出典（資源エネルギー省サイト「電気料金の国際比較」）

そのため、電力会社が受け取る純然たる「電気料金」を比較した場合、日本はドイツよりかなり高いのです。

しかもドイツの場合は、発電に使うエネルギーの40％以上が再生可能エネルギーという環境大国です。日本の場合、再生可能エネルギーの割合は20％にも達していませんので、その差は明らかです。

また産業用の電気料金の場合、日本は先進5カ国の中では、もっとも高くなっています。

産業用の電気料金は、電力全体の約半分を占めるので、日本の電気料金は先進5カ国の中でもっとも高いということになります。

そして、ドイツに限らず、フランス、イギリスなども、再生可能エネルギー政策などのための税金が含まれており、原価だけを見れば、日本の電気料金は先進国の中でずば抜けて高いのです。

財界のボスとして君臨

しかも電力会社は、財界のボスとして君臨してきました。

たとえば東京電力の社長は、代々、財界の役職を歴任してきており、福島第一原発事故当時も、清水正孝社長（当時）は日本経団連の副会長の座にありました。

東電に限らず、各電力会社は各地の財界で要職を務めてきました。

電力会社はその業務的に多額の設備の建設を行なうために、その地域に大きなお金を落とします。

だから各地域の経済界で、ボス的な立場に立ってきたのです。

が、これは冷静に考えれば非常におかしな話です。

電力会社というのは国から守られ、多額の収益を稼いでいる企業であり、半ば官営なのです。

電力料金というのは、国民にとっては税金と同じようなものでした。

いわば税金によって食わせてもらってきた企業なのです。

それが、民間企業の集まりである財界にボスとして君臨することは、国民に対し、不謹慎極まりないことだと言えます。

福島第一原発後には、東京電力の会長が財界の要職に就くというようなことはなくなってきましたが、ほかの各電力会社はいまだに各地域の財界のボスとして君臨しています。

電力会社は〝天下り〟の巣窟

しかも電力会社の社員の賃金は、非常に高いのです。

たとえば、東京電力の場合、平均年収は８００万円を超えています。これは日本最大の企業であるトヨタ自動車とほぼ同じです。

電力会社は、事実上、独占事業でありしかも公的な資金も入っています。つまりは、電力会社の役員や社員は、公務員のようにしっかりと身分が保証されているのです。にもかかわらず、民間企業として最高の待遇を与えられているわけです。

もちろん、この賃金は我々が払う電気料金から支払われているのです。しかも電力会社の幹部というのは、〝天下り〟し放題なのです。

電力会社には、関連会社や関連団体が非常にたくさんあります。それら関連会社、関連団体には、電力会社の幹部たちの格好の〝天下り先〟となっているのです。電力会社は一応、民間企業という建前になっているので、天下りの規制はありませんし、世間の目も届きません。そのため電力会社の役員たちは、何の躊躇もなく、天下りしているのです。

たとえば電気保安協会という団体があります。この団体は電気設備の安全点検を行うという建前になっていますが、電力会社の出資でつくられたものであり、事実上の電力会社の子会社といえます。この電気保安協会には、電力会社の幹部がこぞって〝天下り〟しています。

しかも、この電気保安協会には、経済産業省の官僚ＯＢたちが〝本当の天下り〟もしているのです。かつて経済産業省のＯＢたちは、電力会社に天下りすることが多かったのですが、福島第一原発の事故を受けて、電力会社への天下りは自粛するようにという達しが出ました。

そのため電力会社への直接の天下りはしなくなりましたが、その代わりに経済産業省の官僚たちは、電気保安協会など、電力会社の関連団体に天下りするようになったのです。つまり国民や国会の目があるので、電力会社への直接の天下りは避け、電力会社がつくった関連団体を天下りの受け皿としているのです。

電力会社には、この電気保安協会のような関連団体、関連会社が多々あるのです。また経済産業省以外の官僚ＯＢは、直接、電力会社に天下りしていることもあります。経済産業省以外の官庁は、電力会社への天下りを自粛していないからです。

東京新聞の２０１５年10月４日の配信記事によると、福島第一原発の後だけでも、電力会社や電力会社関連団体に天下りした官僚ＯＢは71人に上るということです。

電力会社の社員の高い報酬や、天下り官僚たちの報酬などは、我々国民の電気料金から賄われているのです。これが日本の電気料金が高い理由の一つでもあるのです。

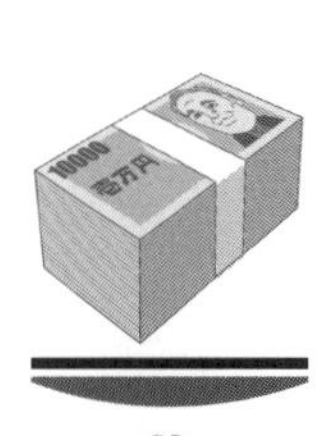

莫大な広告費で批判を封じ込める

このように電力会社は批判されるべき点は多々あるのですが、あまりメディアで批判されることはありません。

それは、電力会社が莫大な広告費を使っているからです。

電力会社の広告費は、福島第一原発事故のときに世間から批判されました。

福島第一原発の事故が起きる前の２０１１年3月度の決算によれば、電力会社10社の広告費の合計額は８６６億円でした。

これは日本最大の民間企業トヨタの約2倍です。

テレビ、ラジオ、新聞、雑誌にとっては、電力会社は「超ＶＩＰ」ということになります。

当然、電力会社の批判などはそうそうできるものではありません。

そして電力会社は、原発の安全性を大々的にＰＲしてきました。そのあげくに、福島第一原発の事故が起きたのです。

そのため、福島の原発事故以降は、いったん、電力会社の広告費は減少しました。

しかし、最近になってまた電力会社の広告は増えてきており、ほぼ福島原発事故前の水準に戻っています。

だから、電気料金の値上げについても、批判するメディアはほとんどなかったのです。

街中に電柱があるのは先進国で日本だけ

このように、高い電気料金を払わされている日本なのですが、日本の電気を取り巻く環境は決して良好なものではありません。というより、世界的にも相当に遅れている面が多々あるのです。

たとえば日本では、国全体に電柱がたち、電線が張りめぐらされています。

日本人は電柱のことを「電気を通すためになくてはならない設備」と思っており、街中に電柱があることをまったく不思議に思っていません。

しかしこの電柱は、先進国にはほとんどないということをご存知でしょうか？

海外旅行をしたことがある人なら覚えがあると思われますが、欧米には電柱や電線というのはほとんどないのです。先進国の大半で、電線は地中に埋めてられているのです。先進国の中で、これほど電柱があるのは日本だけなのです。

いや、先進国だけではなく、世界全体で見てもこれほど電柱がある国というのは珍しいのです。

図10を見ればわかるように、先進国はおろか台北でも、ほぼ無電柱化が達成されています。隣国のソウルでさえ、50％近くも進んでいるのです。

また表には掲載されていませんが、フランクフルト、香港でも100％近い無電柱化が進んでおり、ニューヨークは80％以上、インドネシアのジャカルタでも30％を超えています。

東京の8％、大坂の6％というのは、異常に低い数値です。

電柱は、地震や台風などの災害時に大きな危険要素となります。地震や台風が頻発する日本こそ、無電柱化をどこよりも進めなくてはならないはずなのに、この体たらくはどういうことなのでしょう？

昨今でも、台風や豪雨のたびに、どこかしらで大規模な停電が発生しています。たとえば2019年9月の台風15号では千葉県全域の90万戸で停電が発生し、一カ月近く復旧しない地域もありました。これらのことは、電柱を地中化すればかなり防げたのです。

無電柱化の推進というのは、阪神淡路大震災のころから言われていました。が、30年経っ

図10

主要都市の無電柱化率

ロンドン	100%
パ　リ	100%
シンガポール	100%
台　北	96%
ソウル	49%
東京23区	8%
大　阪	6%

出典（国土交通省サイト「無電柱化の整備状況」）

ても、まったく進んでいないのです。

無電柱化の費用というのは、日本では、国、地方、電力会社の三者が3分の1ずつ負担することになっています。が、これは建前上そうなっているだけであって、電力会社が全部負担してもいいのです。

電柱は災害時に停電の要因になったりするので、電力会社としては、無電柱化に率先して取り組むべきだといえるでしょう。

先ほども述べたように、日本の電気代は世界的に非常に高くなっています。にもかかわらず、先進国としての最低限の社会インフラである「電柱の地中化」がまったく行われていないのです。

第九章

甚大なコロナワクチン被害を隠蔽

新型コロナワクチンに関するNHKの捏造報道

2023年5月15日、NHKの21時のニュースで大変な捏造報道事件が発生しました。「ワクチン接種後に死亡した遺族の映像とインタビュー」を「新型コロナで死亡した遺族の映像」であるかのような報じ方をしたのです。

「新型コロナを振り返る映像」として遺族の映像は流れたのですが、ワクチン死亡者の遺族ということは音声でも字幕でも説明はなく、「コロナで死亡した人の遺族」のような体になっていたのです。

捏造報道としか言いようのないものでした。

このワクチン接種後に死亡した遺族たちは、ワクチンの被害を世間に知ってもらうために、勇気を振り絞ってNHKの取材に応じたものでした。この取材は、ワクチン被害者遺族の会（正式名称は「繋ぐ会」）が窓口になっており、NHK側も「ワクチン被害者であること」は重々承知していたのです。

しかし、ニュースで流れた映像では、ワクチン被害者であることが巧妙に隠され、新型コロナで死亡した人の遺族であるかのようになっていたのです。

当然、ワクチン被害者遺族の会は抗議し、ネットなどでも大炎上しました。

こんなあからさまな捏造報道は、ＢＰＯ（放送倫理番組向上機構）もさすがに放置できず、ＢＰＯ審議入りとなりました。

ＮＨＫはその後、21時のニュースなどで謝罪をし、担当者を数名に対して、懲戒処分などを行いましたが、ワクチン被害を掘り下げるような報道は一切、しませんでした。

実は、ワクチン被害に関してまともな報道をしていないのは、ＮＨＫだけではありません。

新聞、テレビのほとんどで、コロナワクチン被害については、まったくと言っていいほど報じられてきませんでした。日本国民が気づかないうちに甚大な被害が出ているにもかかわらず、です。

おそらく新聞、テレビは、政府に忖度し、自主的にコロナワクチンのネガティブな情報は流さないようにしたものと思われます。

が、これは国民の命に関わる情報であり、ここで忖度をすれば、国民に多大な被害が出てしまうかもしれないのです。そして、その危惧は、現実のものとなりつつあります。

新型コロナワクチンの甚大な被害

ほとんどの国民は知りませんが、現在新型コロナワクチンでは、甚大な被害が起きているのです。

厚生労働省が認めた、ワクチン死（ワクチンとの因果関係を否定できないと認定したもの）だけでも、269件もあるのです。この数値は、ワクチンとしては異常なものなのです。

1977年からの45年間で、日本で新型コロナワクチン以外のあらゆるワクチンにおいて、死亡が認定された人は151人です。一方、新型コロナワクチンでは、現時点ですでに269人もの死亡が認定されているのです。たった2年間で、45年間の累積数を上回っているのです。

こういう情報は、厚生労働省が発表しているものです。

にもかかわらず、大手メディアが報じることはほとんどないのです。

しかもこの数字は、厚生労働省が「認定したもの」だけです。

現場の医師の側からは、ワクチン接種後に2000人近くもの死亡が報告されています。この2000人というのは現場の医師が「ワクチンとの関連性がある」と判断したものだけなのです。にもかかわらず、この2000人のほとんどが何の補償も受けていないのです。しかも現場の医師が、「ワクチンとの関連性がある」という報告を出すのも、非常に厳しいハードルがあり、遺族が求めてもなかなか医師や病院のほうが、承諾しなかったり協力しないことも多いのです。だから実際には、その10倍以上の被害があるのではないか、とも見られています。

というのもCDC（アメリカ疾病予防管理センター）の発表データによると、アメリカのワクチン接種後の死亡事例は2万件を超えています。

日本の死亡事例は、アメリカの10分の1程度なのです。

アメリカの接種状況は、累計で約6億8000万回です。一方日本では、累計約3億8000万回です。

この数値から換算すれば、日本のワクチン接種後死亡者数は、アメリカの半分以上ないとおかしいわけです。つまり、1万人以上が死亡しているはずなのです。

にもかかわらず、実際の日本の死亡事例と5倍もの差があるのはどうしてでしょう？

考えられるのは、日本人の死亡事例の報告が実際よりも相当に少ないということです。

次々に明らかになるワクチン被害が報じられない

日本では、いまだに新型コロナワクチン接種が全国民的に進められています。

が、世界中でワクチンをまだ大々的に打ち続けているのは、日本だけなのです。

WHOも2022年の段階で、「普通の人のブースター（追加免疫）接種は推奨しない」と発表しているにもかかわらず、です。

NHKの「世界のワクチン接種状況」のサイトを見てみてください。日本は100人あたりのワクチン接種率は300回以上であり、断トツの世界一なのです。

世界最大のコロナ被害を出したアメリカは200回程度であり、日本人はアメリカ人の1・5倍もワクチンを打っているのです。

そして、日本がワクチン接種率世界一となった2022年の後半には、日本は世界最悪のコロナ感染率、コロナ死亡率となっているのです。

しかも新型コロナワクチンは、時が経つほどに深刻な薬害が次々に明るみになっています。

生命にかかわる様々な副反応が判明してきたのです。

2022年1月の段階で、すでに欧州連合（EU）の医薬品規制当局は、新型コロナウイルスワクチンのブースター接種を頻繁に行うと免疫系に悪影響を及ぼす恐れがあると警告しています。

欧米各国において、ワクチンの3回目以降の接種率が極端に低下したのは、この警告も大きな影響があるといえます。

また高知大医学部皮膚科学講座の佐野栄紀特任教授らの研究チームは、2022年9月、米ファイザー社製のmRNAワクチン接種後に発症した成人水痘の症例に関する論文を国際的な学会誌「Journal of Cutaneous Immunology and Allergy」に発表しました。

この論文によると、ワクチンの初回接種直後に発症した成人水痘は、2度目のワクチン接種にともなって症状は悪化し、皮膚からワクチン由来のスパイク蛋白が発見されたということです。

佐野特任教授はこの研究にともない、

「スパイク蛋白によって、全身の免疫を短期、あるいは長期にわたって抑制する可能性が疑われる。皮膚だけでなく他の重要な臓器に影響を及ぼす可能性があり、接種によって全身の免疫に影響が出ないか心配だ」

と語っています。

この新型コロナワクチンは、当初、

「ワクチンによってできるスパイク蛋白は2週間で消滅するから安全」

と大々的に喧伝されていました。

あの河野太郎氏もこのことを繰り返し、国民に説明しています。

が、ワクチンによってつくられたスパイク蛋白は、2週間で消滅することなく、体内に残留し、その結果、様々な健康被害をもたらす可能性があることが発見されたのです。

またアメリカを代表する新聞である「ウォールストリートジャーナル」は、2023年1月1日号で、オミクロンXBBはワクチン接種を重ねた人のほうが感染しやすく、医療従事者の追跡調査ではワクチン3回接種者は未接種者の3・4倍も感染率が高いというデータを公表しています。

２０２３年現在、日本政府は国民に対して、いまだにオミクロン株対応ワクチンの接種を強力に推進しています。

このオミクロン対応ワクチンは、オミクロン株が流行し始めてからつくられたものであり、マウスのみの治験で承認された異常なワクチンです。人への治験は行われないまま、一般の接種が始まったのです。

もちろん、そんな気持ちの悪いワクチンは世界中で誰も打ちたがりません。

しかし日本では、この不気味なオミクロン対応ワクチンを世界で一番打っています。

ＮＨＫの公表データによると、２０２３年5月の段階で45％もの人が打っているのです。

新型コロナの被害が世界でもっとも大きいアメリカでさえ、オミクロン対応ワクチンを打ったのは10％台に過ぎず、日本の半分以下です。

日本だけが、異常にワクチンを信仰し、執拗にワクチン接種を続けているのです。

それでも日本政府は、

「オミクロン対応ワクチンの接種率が低い」

「感染爆発が心配」

などと発信し続けています。

繰り返しますが、世界でいまだにコロナワクチンを大々的に打ち続けているのは日本だけなのです。

世界中の人々は、もうほとんどコロナワクチンを打っていません。というより世界の人々がコロナワクチンから離れて、もう1年以上経つのです。

なぜこれほど日本だけが、新型コロナワクチンを「信仰」し、接種しつづけているのか、というと、メディアが、新型コロナワクチンの被害などをほとんど報じてこなかったからなのです。

10代の子のワクチン接種後死亡を報じないメディア

2023年の7月の終わり、恐ろしいニュースが報じられました。

3回目のコロナワクチンを接種した14歳の女の子が、45時間後に死亡した事件について、厚生労働省が「コロナワクチンとの因果関係を否定できない」と判定したというのです。

このニュース自体も恐ろしいものですが、報じられ方も非常に恐ろしいのです。というのも、この14歳の女の子が死亡したのは、２０２２年８月12日であり、１年前のことです。しかし、この女の子が死亡したときには、どこの新聞もテレビも報じることはありませんでした。

現代日本では、10代の子が一人でも変な死に方をすれば、事故であれ、事件であれ、大々的に報じられるものです。それなのにこの事件はまったく報じられなかったのです。

しかも、こういうことは初めてではありません。

たとえば、２０２１年３月、26歳の女性がワクチンを打った４日後に脳出血で死亡しています。これは政府も一応、発表していますが、なぜかテレビ等の大手メディアで報じられることはほとんどありませんでした。

２０２１年３月というと、ワクチン接種が始まったばかりのときです。しかも20代の女性が急死したのです。本来なら、新聞、テレビで大々的に取り上げられるべきです。しかし、この件も国民の多くは知りません。そのため、さらに多くの老若男女の国民がワクチン接種をすることになったのです。

また２０２２年１月に13歳の男の子がワクチンを打って４時間後に死亡していますが、

大手メディアではまったくと言っていいほど報じられませんでした。

この事件は厚生労働省が発表しているものなので、サイトを見れば誰でも確認できます。当時、10代の子が新型コロナで死亡するケースはほとんどありませんでした。しかし、ワクチン接種が開始されるとすぐに数名の方が亡くなっています。これはデマでもなんでもなく、厚生労働省の資料でわかることです。

これらのことを大手メディアがほとんど報じなかったというのは、明らかに異常なことです。この時期、10代の子供たちへのワクチン接種が開始されたばかりの時期でした。もし、この事件が報道されていれば、10代の子供たちの多くはワクチン接種を控えたはずです。

このような事例は、枚挙にいとまがありません。

厚生労働省の〝データ捏造〟が発覚

2022年4月、厚生労働省が発表してきたワクチンデータに大きな誤りがあることが公表されました。これは大きな誤りというより、捏造に近いものでした。

これまで厚生労働省はサイトにおいて、新型コロナ陽性者がワクチンを接種しているかどうか、何回接種しているかのデータをグラフにして公表していました。

このデータでは長い間、

「ワクチン接種したほうが圧倒的に新型コロナに感染しにくい」

という数値が報じられていたのです。

政府は、このデータを元にして、

「ワクチンを打ったほうが感染しにくいからワクチンを打て」

と国民にしつこく喧伝していました。

が、この厚生労働省のデータは、

「ワクチンを接種したかどうかわからない人」

「ワクチンを接種した日がわからない人」

この二つもワクチン未接種者の数に入れる、というメチャクチャなことをしていました。

こういうことをすれば、未接種の感染者の人数が増えるのは当たり前です。

このことに関して、名古屋大学名誉教授の小島勢二氏が、国会議員を通して厚生労働省を追及しました。

すると厚生労働省が、データを修正したのです。

その修正したデータでは、大半の世代においてワクチン未接種者よりもワクチン2回接種者のほうが感染率が高いということになっているのです。つまりは、「ワクチンを接種しないほうが感染しにくい」ということです。

ワクチン3回接種者は未接種者よりも感染率が低いのですが、それも目を見張るほど低いわけでありませんでした。このデータから読み取れば、ワクチン3回接種者も、そのうち感染率が上がってきて未接種者よりも高くなることが予想されます。

つまりは、「ワクチンを打ったほうが感染しやすい可能性が高い」ということなのです。

この「データ修正事件」は、本来、大変なニュースのはずです。

全国民の健康、命に関わる新型コロナワクチンのデータに、重大な誤りがあり、しかも限りなく、捏造に近いものだったのです。政権が倒れるのは当たり前くらいの大問題のはずです。

にもかかわらず、ほとんどのメディアがこの問題を扱いませんでした。扱っても、「ちょっとデータに誤りがあった」程度で済ませてしまいました。

また2021年9月に行われたコロナ対策アドバイザリーボードにおいて、提出された厚労省のデータでは、65歳以上の人たちはワクチンを接種したほうが致死率が低くなっていますが、65歳未満の人たちでは、ワクチンを接種したほうがコロナに感染した際の致死率が高いという結果になっていました。

そして全年齢でも、ワクチンを接種したほうがコロナに感染した際の致死率は高いという結果になっていたのです。全年齢では、ワクチン2回接種者は、ワクチン未接種者の約5倍も致死率が高いというデータになっていました。

つまりは、2021年9月の段階ですでに、「ワクチンは重症化予防の効果もない」「少なくとも65歳未満の人にはデメリットしかない」という結果が出ていたのです。

このことについても、大手メディアはほとんど報じることがありませんでした。

本来、これも大変なニュースのはずです。「新型コロナワクチンには、感染予防効果もなく、重症化を防ぐ効果もないかもしれない」、というよりも、「感染がしやすく、重症化しやすいかもしれない」ということが、国のデータからわかってきたのです。

こんな重要なニュースが、日本では報じられることがほとんどなかったのです。

その結果、世界の国々がワクチンから離れていっても、日本だけが、ワクチンを打ち続け、感染率や死亡率が跳(は)ね上がっていく、という結果を生んでしまったのです。

しかも、こともあろうに、厚労省はその後、ワクチン接種回数ごとの詳細なデータを公表することをやめてしまったのです。

心筋炎のデータも〝捏造〟

厚生労働省がワクチンに関する重大な誤りを犯していたのは、これだけではありません。国会でも取り上げられましたが、心筋炎のデータでも重大な誤りがありました。

ファイザー、モデルナのワクチンには、若い男性が心筋炎になる副反応が報告されています。が、厚生労働省はサイトに、

「ファイザー、モデルナの接種後に心筋炎になる確率よりも、ワクチンを打たないで心筋炎になる確率のほうが高い」

というデータを載せ、ワクチンを推奨してきました。

厚生労働省のデータでは、「ワクチン未接種の人の心筋炎の割合」ではなく、「ワクチン未接種の中で〝新型コロナに感染した人〟が心筋炎になる割合」を載せていました。

新型コロナの症状として心筋炎があるので、新型コロナに感染した人は心筋炎になりやすいのは当然です。

ワクチン接種者全体とワクチン未接種者全体の心筋炎になる割合を比較しなければ、「ワクチン接種した場合の心筋炎」のリスクは出せないはずです。

そして、ワクチン未接種者全体の心筋炎になる割合を出すと、ワクチン接種者よりも心筋炎になる確率がはるかに低いことが判明したのです。

つまりは、ワクチンを接種すれば接種しない場合に比べて、心筋炎になる確率が非常に高くなるということです。

このデータの誤りというのも、統計学的には基本中の基本の誤りであり、通常は起こりえないものです。ワクチンを打たせたいために故意にデータを捻じ曲げたと言われても仕方のないものです。

この問題も国会で取り上げられ、厚生労働省は修正をしました。

が、大手メディアは、大きく取り上げることはしませんでした。

2021年以降、起こった数万人単位の超過死亡

筆者は、さらに恐ろしい事実を伝えなくてはなりません。

これもあまり知られていませんが、実は、2021年以降、日本では〝謎の突然死〟が急増しているのです。つまり、ちょうどワクチン接種が開始されてから、謎の突然死が増えているということです。

2021年の夏ごろから、人口動態では「超過死亡」が異常に増加しており、ネットなどではかなり騒がれていました。超過死亡というのは、毎年予想される死亡者数を超えている死亡数値のことであり、ざっくり言えば「例年と比べてどれだけ死亡者が多いかを示すデータ」ということです。超過死亡が多ければ、例年と比べて死亡者が多いということになるのです。

この超過死亡が、数万人単位で記録されていたのです。こういうことは大地震などの大災害があったときでも、なかなか起こらない事です。

「人が異常に多く死んでいる」

ということは、社会にとって一番不幸なことであり、戦争や大災害と同じ大ニュースであるはずです。

しかし、このこともなかなかメディアは報じませんでした。

ようやく2021年12月10日、日経新聞に超過死亡の記事がきちんと掲載されました。

その記事によると、「2021年9月までの日本の人口動態では、約6万人の超過死亡が出ている。これは東日本大震災の2011年を超える数値であり、戦後最大となっている」ということです。

つまり、2021年の日本は9月の時点ですでに例年よりも6万人も多くの人が死んでいるわけです。

当時、この期間の新型コロナでの死者は約1万2千人でした。

なので「残りの4万8千人はなぜ死亡したのだ？」ということになります。

超過死亡が増えているということは、2021年5月くらいからすでに言われていました。朝日新聞も「2021年7月までの超過死亡が記録的だ」ということを記事にしています。

東日本大震災というのは、戦後最大の自然災害です。この東日本大震災を超える、大災害が2021年の日本で何かありましたでしょうか？

前掲の日経新聞の記事よると、超過死亡6万人の死因の内訳で一番多いのが新型コロナで1万2000人。次が「老衰」で約1万1000人。その次が心疾患で約7000人となっています。

日本人の死因1位である癌は、あまり増えていません。

老衰というのは、特に重い病気だったわけではない高齢者が急に死亡したときに「死因」とされるものです。高齢者がよくわからない原因で、急に心臓が止まり死亡した場合も、「老衰」とされることが多いようです。

日経新聞の記事では、ワクチンの影響などとはまったく触れられることなく、「新型コロナによる医療逼迫が原因ではないか」と結論づけています。が、医療逼迫によって死者が増えたというのであれば、癌の死亡者が多くなるはずです。日本人の「死因」で一番多いのは癌ですし、癌は検査や治療が必要な病気ですから、医療が逼迫したときにもっとも影響を受けるのは、癌のはずです。

しかし、癌による死亡はあまり増えておらず、老衰、心疾患が急激に増えているのです。

また老衰は医療の力で防げる死因ではありませんので、老衰が増えたのは医療逼迫が原因ということでは絶対ないはずです。

だから、日経新聞の言う「医療の逼迫が超過死亡の主要因」という説は、明らかにおかしいのです。

老衰も心疾患も「急死」するケースが多いのです。つまりは、2021年の日本人は「急死する人」が異常に増えていると言えるのです。

増え続ける超過死亡

2021年に、戦後最悪の超過死亡を記録したということを前述しましたが、2022年はさらに大変なことになっていました。

2021年に戦後最悪の超過死亡という記録を出したばかりなのに、2022年は10万人もの超過死亡が記録されたのです。ざっくり計算して、2021年と2022年だけで、例年よりも20万人近くも死亡者が増えているのです。日本は、現在、異常な死亡ラッシュとなっているのです。

このことについては、肌身に感じている人も多いのではないでしょうか？

芸能人やスポーツ選手、声優などに、最近、訃報が異常に多いと思いませんか？

2022年の新型コロナでの死者は、約3万人です。だから約7万人が、新型コロナ以外の原因で死亡しているのです。しかも新型コロナでの3万人の死亡というのは、交通事故で死亡しても新型コロナで陽性であれば、新型コロナ死に含められているので、かなり水増しされた数値だと言えます。だから8万人以上が、新型コロナとは違う原因で死亡しているのです。

2021年の超過死亡については、政府の御用学者たちは「新型コロナによる医療逼迫」や「自粛生活による運動不足」などを要因として挙げていました。

しかし2022年には、オミクロン株に置き換わったことにより、重症化率は低く、病院に逼迫も起きていません。また2022年は行動制限などもほとんどされていませんので、運動不足というのも当てはまりません。

では、何が原因なのでしょうか？

「2021年と2022年に超過死亡が激増している」

「２０２１年から始まったものは何か？」

それらを考えれば当然、ワクチンが疑われるべきです。

しかも、２０２２年の月別の超過死亡を見てみると、２月と８月が突出しているのです。２月は１万９０００人、８月は１万８０００人です。これはいずれも東日本大震災の死者数を上回っています。つまり、２０２２年は、２月と８月に、東日本大震災を上回るような大規模な災害が起きたのと同様の現象が生じているのです。

２月と８月に何があったかというと、２月に３回目のワクチン接種が本格化し、８月には４回目のワクチン接種が本格化しているのです。

状況証拠を見るならば、ワクチンは真っ黒なのです。

しかし、御用学者やメディアは、超過死亡のことをとりあげることはあっても、ワクチンが原因だとは一切語りません。それどころか調査をする前から「ワクチンのせいでは絶対ない」と断言する御用学者も多数います。

そして大手メディアは、そういう御用学者の意見を垂れ流すばかりなのです。

「超過死亡」の原因を追究しない厚生労働省

超党派の会の川田龍平氏が、令和4年10月27日、国会の厚生労働委員会でこの超過死亡について「超過死亡とワクチンの因果関係はわかっているのか？」と厚生労働省に質問しました。

この質問に対して、厚生労働省の回答は「現段階ではワクチンとの因果関係があるかどうかはわかっていない」というものでした。

つまり、厚生労働省は、「ワクチンとの因果関係がない」という明確な根拠を持っていないのです。

にもかかわらず、超過死亡とワクチンの因果関係についての調査を行うこともまったくしていません。

超過死亡とワクチンの因果関係を調べるのは、実はそう難しいものではありません。地域を指定して、ワクチン接種者の健康追跡調査をすればいいだけなのです。ワクチン接種者のその後の病歴や死亡率などを調査し、ワクチン接種以前の日本人の平均値と比較すれば、簡単に出てくるはずです。

なぜそれをやらないのでしょうか？

ワクチンを激推進してきた専門家も、「超過死亡とワクチンの因果関係は絶対にない」などと断言しながら、「調査をしろ」とは絶対に言わないのです。

たとえば、感染症の専門家で神戸大学教授を務める岩田健太郎氏もその一人です。彼は「超過死亡とワクチン接種は全然関係ない」と言い放ち、「超過死亡の原因はワクチン」という論を「デタラメ」「陰謀論」と決めつけています。

しかし、かといって、綿密な調査をしろとは言わないのです。もし彼が科学者であるならば、少ない材料でああだこうだ判断するのではなく、綿密な調査をすべきと主張するはずです。が、彼は、少ない材料で自分は絶対正しいと主張しておきながら、科学的な調査を行うことは受け入れないのです。このことだけでも、ワクチン推進者がいかに非科学的で、自分の保身しか考えていないかがわかるはずです。

このワクチンは、時間が経てば経つほど、当初言われていたような有効性がまったくなく、当初言われていなかった害がいろいろと明るみに出てきました。ワクチンを推進してきた専門家としては、自分の立場がどんどん悪くなってきています。

この状態の中で、ワクチン推進者の多くは、自分たちの非を認める方向ではなく、より過激なワクチン狂信に走っています。ワクチンを推進してきた専門家が、いかにニセモノだったのか、ということです。

話を元に戻しましょう。

現在の日本では、東日本大震災級の大災害が10回起こったくらい、死亡者が増えているのです。この要因について、国は綿密な調査を行うべきです。しかも、ワクチンとの関連性を徹底的に調べるべきです。

季節外れのインフルエンザの大流行の恐怖

異常が起きているのは、超過死亡だけではありません。

２０２３年の夏には、季節外れのインフルエンザの大流行が起き、学級閉鎖をする学校も多数ありました。こういうことは、日本の感染症の歴史上はじめてです。

また梅毒なども大流行しています。

日本社会全体が、何か病魔に蝕まれているような、そんな状態です。

実は、今の日本の異常な状態は、ある程度予想されていたものでもありました。

前述しましたように、2022年1月の段階で、欧州連合（EU）の医薬品規制当局は、新型コロナウイルスワクチンのブースター接種を頻繁に行うと免疫系に悪影響を及ぼす恐れがあると警告しています。

「ブースター接種を頻繁に行うと免疫系に悪影響が起きる」ということが、今の日本でまさに体現されているのです。

日本の専門家の中にも、当初から新型コロナワクチンの危険性を訴える人はたくさんいました。その中には、大家と呼ばれる人も少なからず含まれていたのです。

たとえば、予防内科学、過剰診療研究などの第一人者であり、政府の諮問機関の委員なども歴任していた新潟大学名誉教授の岡田正彦氏、薬剤疫学などの第一人者である京都大学名誉教授の福島雅典氏、大阪市立大学名誉教授の井上正康氏等々です。

しかし政府は、ワクチンのリスクを訴える専門家たちを遠ざけ、ワクチンを推奨する専門家ばかりを政府の機関に入れました。

そしてワクチン懐疑派の学者が、当初から主張していたのは次のようなことでした。

「コロナウイルスは変異を繰り返すからワクチンを打ってもコロナを制圧できない」

「副反応の被害がかなり出るのではないか」

「免疫力が弱まりほかの病気になったり、コロナ以外で死ぬ人が増えるのではないか」

これを見れば、ワクチンに懐疑的な専門家の方が述べていたことが、まさにすべて日本社会で現実に起こっているのです。

しかし大手メディアは、政府の意向を汲み、ワクチン推進派の専門家の意見ばかりを報道し、ワクチン懐疑派の意見はほとんど報じていません。いまだに、ワクチン懐疑派の専門家が、大手メディアのニュース番組などに登場することは皆無と言っていい状態です。

ワクチンに関しては、欧米の国々でも推奨の報道ばかりがされてきました。しかし、欧米では、ワクチンのネガティブ情報を報じるメディアもありました。欧米各国では、ワクチン接種が60%くらいで頭うちになったのも、そのせいだと思われます。

が、日本の大手メディアは、徹底的にワクチンのネガティブ情報を遮断してきました。

「日本のマスコミは死んでいる」

のです。

おわりに

現代の日本という国は、政治家、官僚、経済団体、医療など、あらゆる分野で腐敗が進み、もはや末期症状を呈しているとさえ言えます。が、日本のあらゆる分野の中で、もっとも腐敗しているのは大手マスコミなのです。

新型コロナワクチンの報道などを見ても、ワクチンの副反応のことなどはほとんど報道されず、「ワクチンを打つことは絶対的に正しい」という報道が続けられました。世界のほとんどの国はもう2年前からワクチンから離れているのに、そのことさえ日本国民の多くは知りません。

効果がまったくデータとして表れておらず、たくさんの人が死んだり後遺症になったりしているワクチンを、国民の多くは宗教のように信じ続けました。そして世界の中で、日本人だけが、いつまでもワクチンを打ち続け、いつまでもコロナが終わらないという、まるで残酷なＳＦ映画のようなことが、現実に起こっているのです。

それには、もちろん大手マスコミに大きな責任があります。


日本の大手マスコミを見ていると、まるで戦前の大本営発表と何ら変わりません。

そもそも、現在の大手マスコミというのは、戦争中に形づくられたものなのです。戦争中、紙資源の節約などのために、政府は新聞各社の統合を指示しました。１０００紙以上あった全国の新聞は、わずか50紙程度に減らされ、読売、朝日、毎日という大新聞社が出来上がったのです。

しかもこれらの大新聞社は、新聞統合以前から無責任な戦争賛美の報道を繰り広げることで、部数を伸ばしてきました。空襲が始まってからも「空襲のときは逃げずに消火活動を」などという非人道的な報道を行い、日本中の都市が焼け野原にされた戦争末期においても、「本当の勝負はこれからだ」など、吹聴していたのです。

その結果、日本は第二次世界大戦で最後まで、世界中を相手に戦争し続け、国民の多くは原爆を落とされたことさえも知らず、まだ「戦争に勝てる」と信じこんでいたのです。

この無謀な戦争には、大手新聞社の責任が非常に大きいのです。

しかし、これらの大新聞社らは戦後も解体されることなく、生き残り、むしろ戦後に、大発展を遂げました。戦争中の新聞統廃合で新聞社が激減していたためにライバルが減り、戦後の復興で国民生活に余裕ができるとともに、購読数が増加していったのです。

その結果、世界で稀に見るほどの「大部数の全国紙」が出来上がったのです。

そして大手新聞各社は、テレビ放送が始まると、相次いでテレビ事業に参入したため、新聞とテレビという、日本の報道の主軸を両方握ってしまったのです。日本は高齢者が多く、彼らは社会の情報のほとんどを新聞やテレビから得ています。つまり、日本の社会情報の大半が、大手マスコミ数社に握られている状態なのです。

筆者は、現代の日本はあらゆる分野で大改革が必要だと思っていますが、まず最初に行わなければならないのは、大手マスコミだと思っています。

まず新聞社のテレビ局保有は、絶対に禁止しなければなりません。

日本の新聞社はテレビ局を保有しているために、わずか数社が日本の報道全体を実質的に支配しているという、悪状況が生まれています。

また政治と報道機関の癒着も禁止すべきです。国や自治体、政党などが、マスコミと特別な関係をつくることは厳禁にすべきです。また政治家などが、過度にテレビ出演することにも規制を設けるべきです。

そして、報道機関の国や広告主に対する忖度の禁止も行うべきです。第三者機関を設けてマスコミを監視させ、「本来、報道しなければならない重要なニュースを報道しなかったり、軽く扱ったりしたような場合は、厳しいペナルティーを課す」というようなことをするべきです。

あらゆる分野で言えることですが、どこかに権力が集中すると必ず腐敗するということです。それは人類史の中で、完全に証明されていることです。

現代の日本の大手マスコミは、あまりにパワーが集中されすぎています。絶対に、解体が必要なのです。それと同様に、財務省、経団連、日本医師会なども、解体が必要だと思われます。

それができない事には、日本の再生はないと、筆者は強く思います。

最後に、リスクを冒(おか)して本書の出版をしていただいた、株式会社かや書房の岩尾悟志氏をはじめ、本書の制作に尽力いただいた皆様に、この場をお借りして御礼を申し上げます。

2023年10月

著者

大村大次郎（おおむら・おおじろう）

大阪府出身。元国税調査官。国税局で10年間、主に法人税担当調査官として勤務し、退職後、経営コンサルタント、フリーライターとなる。執筆、ラジオ出演、フジテレビ「マルサ!!」の監修など幅広く活躍中。主な著書に『億万長者は税金を払わない』（ビジネス社）、『あらゆる領収書は経費で落とせる』（中公新書ラクレ）、『会社の税金元国税調査官のウラ技』（技術評論社）、『起業から2年目までに知っておきたいお金の知識』『河野太郎とワクチンの迷走』（かや書房）など多数。You Tubeで「大村大次郎チャンネル」を配信中。

マスコミが報じない〝公然の秘密〟

2023年12月8日　第1刷発行
2024年2月19日　第2刷発行

著　者　大村大次郎

発行人　岩尾悟志
発行所　株式会社かや書房
〒162-0805
東京都新宿区矢来町113　神楽坂升本ビル3F
電話　03-5225-3732（営業部）

印刷・製本　中央精版印刷株式会社

ISBN978-4-910364-41-4 C0036